La Fille des Templiers

ISBN : 978-2-37448-017-6

Mireille Calmel

La Fille des Templiers

Tome 1

roman

À Bernard Fixot et Édith Leblond,
à qui je dois bien plus que ma reconnaissance.
À Gwenaëlle Le Goff, Valérie Taillefer,
Stéphanie Le Foll et à toute l'équipe XO.
Ce vingtième livre est la promesse
de nombreux autres.

À chaque instant, précieux, à combattre
la peur et l'ignorance, l'orgueil,
la cupidité, le désespoir et la déraison.
À chaque instant, précieux, à vivre.
À vous, qui en apportez le sens…

Plan de Paris en 1300, gravure de 1875.

LE PARIS DE GUILLOT
Regne de Philippe le Bel
AN 1300
Plan dressé sous la direction
de E. MAREUSE par L. TAISNE
MDCCCLXXV
St Pol
Porte Baudeer
Poterne St Pol
Isle aux Javiaux
SAINNE
Isle aux Vaches
Isle Nostre Dame
Tournelle
Abbeie Saint Victor
Bièvre
Les Bernardins
Porte Saint Victor
Clos des Arènes
Fauxbourg Saint Marcel
Porte Saint Marcel
Abbeie Ste Genevieve
Porte Papale
Palais
Petit Pont
Porte St Jacque
Fauxbourg Saint Jacque
Porte St Michel
Château de Hautefueille
Porte St Germain
Porte Busci
Les Chartreux
Faubourg Saint Germain
Saint Sulpice
Pré aux Clercs

Prologue

19 mars 1314.

Paris. Île aux Juifs.

Peur.

Ce qui me vient à cet instant, c'est la peur. Une langue invisible qui me caresse l'échine. Attaché à ce poteau, à ce bûcher que le bourreau s'apprête à enflammer, je les vois.

Je les vois tous ces badauds rassemblés comme à la messe, hommes, femmes, enfants, bourgeois et artisans, nonnes et filles de joie, moines et brigands.

Je les vois, prisonniers de leurs émotions contradictoires, de leurs prières muettes, de leurs rires sournois devant cette infamante mitre de papier qui couronne ma vieille tête.

Je les vois ces Juifs, soulagés à l'idée que, cette fois, la colère royale ne s'abatte pas sur eux.

Tous.

Ils frissonnent tous sous ce vent que je ne crains plus. Ils frissonnent d'excitation, de crainte, de défi, d'effroi.

Tous ces sentiments que je leur pardonne. Ils sont miens tour à tour.

Je suis Jacques de Molay, le dernier grand maître de l'ordre du Temple. J'ai voué ma vie à une cause perdue. Celle d'un royaume qui aujourd'hui me nargue. Celle d'un roi dont les traits tendus, depuis sa tour, n'expriment ni remords ni pitié.

Non. Je ne lui concéderai rien. Aucun cri. Aucun tressaillement de sourcil. Rien. Qu'il sombre en enfer, qu'il soit dépouillé de ce qui lui est le plus cher.

Entends-tu, roi Philippe ? cette malédiction que je ne formulerai pas ?

Oui. Ton regard tente de briser le mien. Tes mains se crispent. Quant à tes fils, leur visage est plus blanc que le linge. Que dire de ce pape que tu as placé à Avignon pour renier l'autorité de Rome et forcer mon exécution ?

Tu as déjà distribué le butin. Mais ils n'en profiteront pas. Ils n'auront pas le temps.

Toi non plus.

Tu mourras et ta lignée après toi, dépossédée de cette onction divine qui consacre les rois de France.

Tu as voulu te priver de l'Ordre ? Tu te priveras aussi de ce qu'il protégeait, depuis sa création !

Tu peux rentrer la tête dans ton cou, roi de peu de foi ! Tu n'empêcheras pas que le sang s'en retire !

Cet œil gris qui n'avait rien perdu de sa vivacité malgré ses soixante-six ans se détourna des remparts du palais de la Cité, puis dépassa la ligne de soldats qui, pique à la main, contenait les badauds. Les bateliers ne s'arrêtaient pas. Leurs embarcations, chargées à la gueule, perçaient la Seine de tout bord. Sitôt débarqués leurs passagers, ils repartaient à vide, ramant tels des forcenés pour rallier les berges jusqu'aux contreforts de la tour de Nesle. Jacques de Molay se détourna de leur manège incessant, de ce flot de curieux qui se déversait, pour scruter ceux qui piétinaient les berges boueuses de l'île. Il y reconnut quelques visages emplis de douleur, de consternation, de prière, lui rappelant combien âpre avait été la lutte, sept années durant.

Il ne s'y attarda pas.

Celle qu'il cherchait avait la quarantaine, le front haut des dames de haute lignée, les boucles brunes, la prunelle claire.

Il ferma un instant les paupières.

Es-tu là ? Je n'ai besoin que de ton regard dans cette cohue, cette indécente cohue rassemblée pour assister à mon supplice. Comme s'il fallait ma mort pour clore ce procès pour hérésie, pour définitivement ancrer dans les consciences la dissolution de l'ordre du Temple. Je n'ai rien avoué, ma mie. Rien concédé à la question. Mais à ce cœur qui a déjà flambé une fois, je ne puis en dire autant.

Il rouvrit les yeux. Sonda les traits des nouveaux arrivants.

Où es-tu ? Toi qui portes désormais, seule, le fardeau du secret le mieux gardé de la chrétienté.

De nouveau cette torsion de l'estomac.

J'ai peur pour toi. Pour ta fragilité. Peur de ne pas croiser ton regard une dernière fois.

— Frère...

Jacques de Molay tourna la tête vers l'homme attaché à quelques toises de lui, sur un tas de bûches identique. Il suait à grosses gouttes malgré la fraîcheur de l'air.

— … Je n'y arriverai pas…

Geoffroy de Charnay[1] se racla la gorge comme si la fumée y entrait déjà.

— … À rester digne… Je n'y arriverai pas.

— Dieu ne vous le demande pas. Souffrez en homme, puisqu'ainsi a souffert Son fils. Son souffle emportera le vôtre avant que vous ne l'ayez rendu.

La voix était apaisante, comme à son ordinaire, comme au long de ces dernières années où ils avaient partagé la même cellule. Une voix grave, profonde, empreinte d'empathie. Mais Geoffroy de Charnay y discerna la souffrance.

Le regard du grand maître balayait de nouveau la foule au-delà de la rangée d'archers, au-delà de ce grand échalas d'Alain de Pareilles[2] qui attendait de transmettre l'ordre du roi au bourreau.

— Est-elle là ? demanda Charnay.

— Je ne sais pas.

Comment imaginer que tu ne viennes pas ?

— Elle nous vengera, cria presque le commandeur pour défier la bourrasque qui lui battit le visage.

Immobilisé au pied du bûcher, le dominicain chargé de leur confession sursauta. Saisi d'angoisse, il leva les

1. Dernier commandeur de l'Ordre pour le bailli de Normandie.
2. Chef des archers du roi.

yeux vers cet homme en lequel s'était soudain réveillé le tempérament de l'ancien guerrier.

Geoffroy de Charnay arracha un sourire de défi à sa bouche édentée par les tenailles.

L'inquisiteur brandit son crucifix.

— La vérité est dans le cœur. C'est là et là seulement que j'ai toujours porté la croix, le nargua à son tour Jacques de Molay d'un regard sans équivoque.

Cette fois celui de l'abbé ne cilla pas.

— L'heure est proche, mes frères, où vous comparaîtrez au tribunal de Dieu. Il est encore temps de vous repentir, d'avouer vos crimes.

Le silence s'était abattu sur la foule. Seul le bruissement de l'eau sous les rames des passeurs et le cri des mouettes le troublaient encore. Un ciel de traîne épuisait Paris de ses vapeurs discrètement humides.

« La brume n'empêchera pas l'exécution », avait assuré le bourreau quelques minutes plus tôt en vérifiant la disposition des rondins puis l'empilement des fagots.

Plus que les autres, il retenait son souffle. Un aveu aurait pu infléchir la décision royale, entraîner un nouveau procès. Le priver du fruit de son labeur et de son heure de gloire.

Mais cet aveu ne vint pas.

Agenouillé à présent devant les condamnés, le prêtre faisait rouler son chapelet, ânonnant ses prières.

Tous les regards convergèrent vers le roi, au sommet de la tour, encadré par ses fils et les membres de son Conseil. Seul celui de Jacques de Molay persistait à sonder cette foule en attente.

Il ne vit pas le signal du monarque, pas plus qu'il ne vit le bourreau enfoncer le brandon d'étoupe sous les fagots sitôt que l'homme d'Église se fut reculé. Il entendit juste le crépitement du bois.

Sa peur de ne pas la revoir disparut à cet instant. Dans le constat qu'elle n'avait pas trouvé la force, le courage de venir.

Pouvait-il le lui reprocher ? Elle avait fait plus qu'elle ne devait. Plus qu'il ne l'en pensait capable.

Le calme, ce calme que l'idée d'en terminer avait fini par lui apporter, regagna ses veines.

Il reporta son attention vers Geoffroy de Charnay sous lequel les flammes venaient de grossir, aiguisées par le vent.

Son ancien compagnon d'armes tentait de se contenir, mais la terreur lui rongeait le visage. La fumée monta, le masquant à demi, s'immisçant entre eux comme un démon grimaçant. Jacques l'entendit hurler quand lui ne sentait rien, à peine une chaleur douce sous ses pieds nus. Le feu semblait refuser de le prendre.

Quelques minutes encore… Est-ce le temps que le Ciel m'accorde pour te trouver ?

Une langue ardente jaillit soudain, monta à l'assaut du commandeur, le vrilla dans un hurlement de damné.

La foule était pétrifiée d'horreur. Lui, Jacques, avait recommencé à la scruter. Mais la fumée irritait ses yeux, y portait des larmes, décapitait les badauds.

Il rencontra le regard exorbité d'une fillette. Mélange d'horreur et de fascination. Il reconnut l'homme qui la maintenait devant lui par les épaules, frissonna d'espoir malgré l'assaut des langues ardentes, le murmure soulagé du peuple qui, un instant, s'était demandé quand viendrait son tour.

Où es-tu ? Tu ne les aurais pas laissés venir seuls.

Et soudain, il la vit se frayer un passage.

Diaphane, tremblante sous sa mante. Son regard oscillait entre le devoir, la folie et l'amour. Il y planta le sien, serra les dents pour ne pas hurler sous l'assaut des flammes, pour qu'elle garde cette vision de lui, digne, fort, jusqu'au bout. Pour qu'elle puisse, à tout jamais, se nourrir de cette force et préserver la sienne.

Il se sentit partir de l'avant, détaché soudain de ses liens. Il s'effondra dans les braises, arrachant un cri unanime à la foule qui se masquait les narines sous l'odeur de chair brûlée.

Elle porta les mains à ses lèvres, chancela, tandis que la fillette près d'elle n'arrivait pas à détacher ses yeux horrifiés de ce corps qui gonflait, se tordait.

On le crut mort sur l'instant.

Mais il arracha à l'inconcevable, à l'inhumain, à la cupidité de ses juges, cette main tendue et noire.

Ouverte.

Vers elle.

Sans un mot.

Sans un cri.

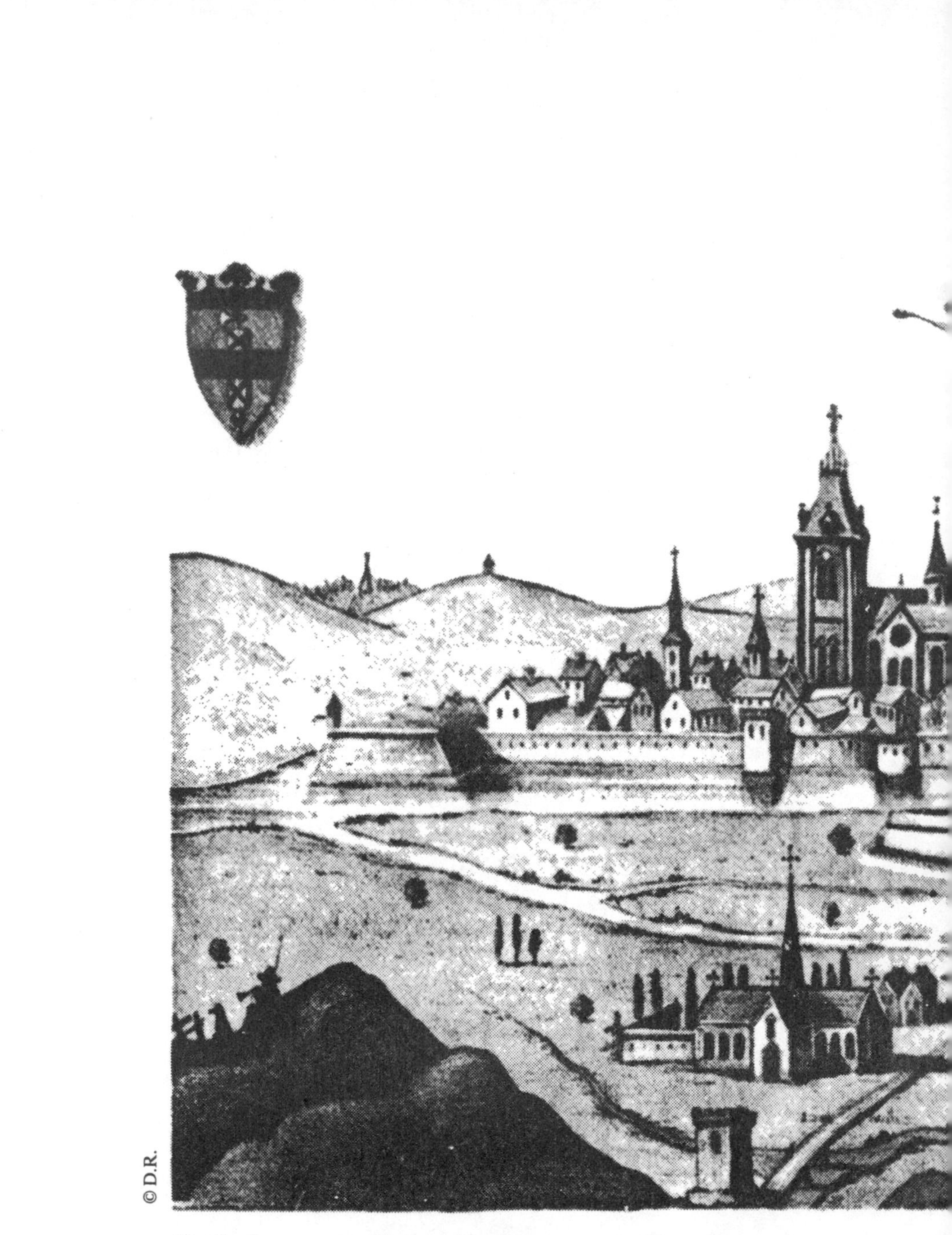

Rethel au XIIIe siècle (d’après une vieille estampe).

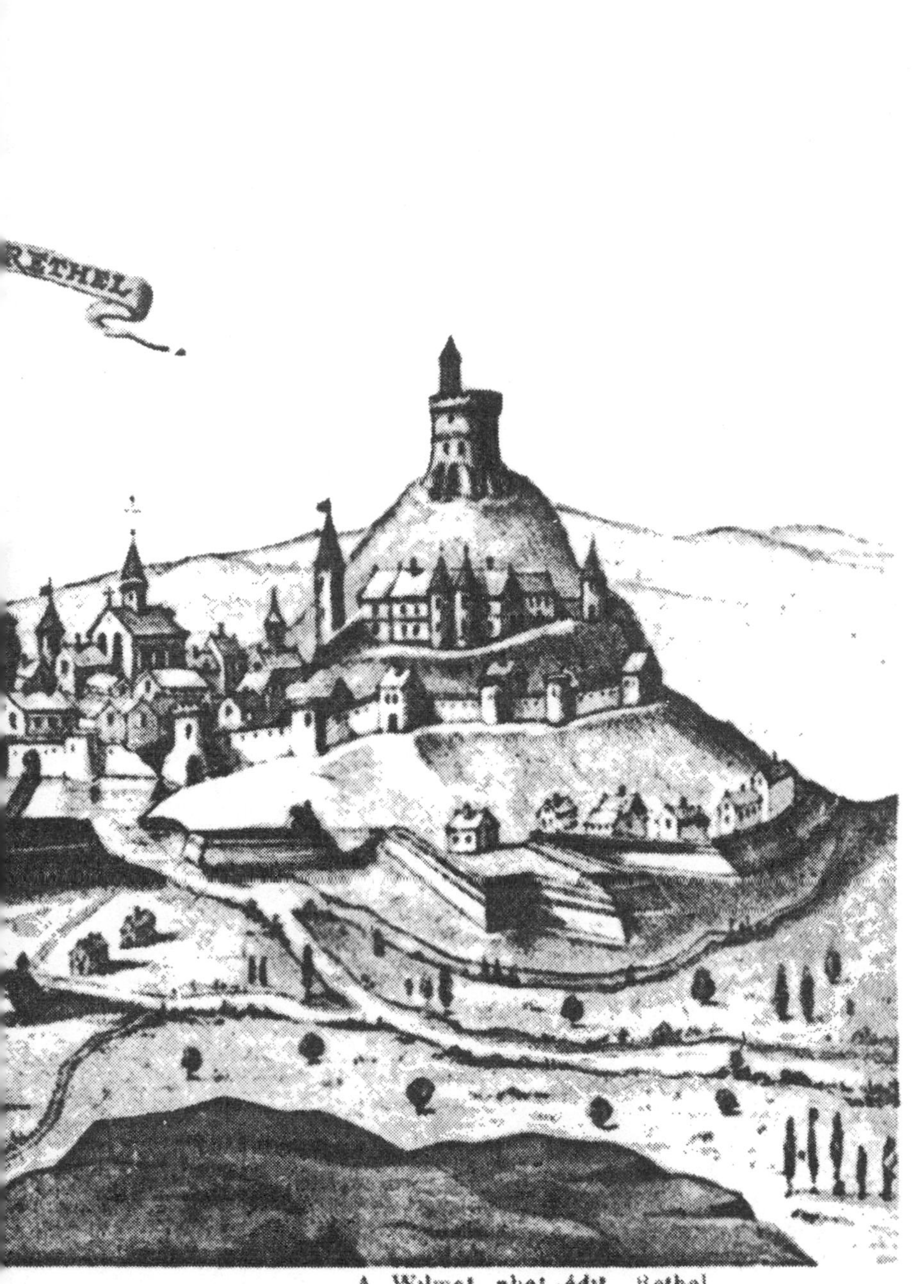

A. Wilmet, phot.-édit., Rethel

1.

Ardennes.
Village de Rethel.

Flore essuya une perle de sueur à son front. Elle détestait cette moiteur estivale. Le franc soleil de ce 15 juillet 1322 rougissait ses joues de porcelaine, irritait ses yeux pervenche et, selon elle, donnait à son allure une impression de négligé. Non qu'elle fût particulièrement attachée au paraître. Fille de métayer, elle s'appliquait aux travaux de la ferme avec ses parents et y trouvait un plaisir sain, fait de son goût pour le grand air, la nature et les animaux. Dès lors, se salir, se froisser ou transpirer à la tâche ne l'effrayait guère.

Là c'était différent. Elle était venue quémander un service et cela lui coûtait. Pour parvenir à ses fins et compenser le manque d'entrain qui, inévitablement, transparaîtrait de son ton, elle avait revêtu cette nouvelle robe, taillée dans l'une de sa mère. La jolie ceinture de jonc tressé qu'elle s'était confectionnée lui assurait un tour de taille parfait, pourtant, avec cette chaleur, elle l'aurait volontiers desserrée.

Elle s'adossa au moulin.

Les ailes tournaient lentement à quelques brassées d'elle, assise sur un ballot de paille. Leur rotation apportait à ce coin d'ombre un courant d'air inespéré.

Flore remonta légèrement le tissu de son jupon, regrettant que son promis ne soit pas l'un des autres meuniers implantés dans la rivière. Elle aurait pu y soulager la lourdeur de ses jambes en attendant qu'il ait terminé.

Bientôt, estima-t-elle en se souvenant du nombre de sacs qui se tenaient devant Gabriel lorsqu'elle était arrivée.

Il était seul au labeur. Lui interdisant de blanchir ses vêtements, il lui avait demandé de patienter dehors, le temps qu'il finisse d'ensacher la farine que l'intendant du château n'allait pas tarder à venir chercher.

Elle laissa son regard se perdre sur le paysage en contrebas, dans l'espoir d'apercevoir le vieil homme sur le chemin qui gravissait la colline. Mais la route se perdait vite dans les bois. Quoi qu'il en soit, le point de vue était superbe. Assez pour la distraire le temps qu'il faudrait encore à Gabriel pour la rejoindre.

De là, elle ne voyait que le versant nord de Rethel. La façade de l'église, tout comme le château comtal qui faisait la fierté de la bourgade, se dressait en direction de Reims. Elle aimait la vision de ce vieux donjon piqué comme un étendard sur son éperon rocheux. Il dominait la cité, et jusqu'à l'ensemble de son rempart aux multiples tourelles dont les fondations plongeaient dans les remous discrets de l'Aisne.

Son œil accrocha le chemin de ronde. Bien que le pays soit en paix, quelques soldats de faction promenaient leur ennui en direction des enfants qui s'ébattaient dans le bras d'eau à leurs pieds.

Flore soupira.

Pourquoi ai-je passé l'âge d'en faire autant ?

L'Aisne encerclait cette petite ville qui l'avait vue naître, lui donnant l'allure d'une île au milieu des monts et des vals ardennais que forêts, terres arables et pâtures domptaient. Elle avait toujours regretté que la ferme de ses parents ne soit pas intra-muros au lieu de border la rivière et de s'ouvrir sur les champs.

Elle songea à sa mère. S'attrista à l'idée de ne pouvoir la soulager, comme elle l'aurait dû, dans son labeur.

Quant à père… son cœur se serra au souvenir de cet homme puissant qui depuis le matin ressemblait à un vieillard tordu sur son lit de douleur.

Tant pis, je n'y tiens plus. Farine ou pas, Gabriel va devoir m'écouter !

Délaissant le paisible spectacle des blés qui ondulaient comme une mer d'or sous la brise, elle se dirigea vers un bloc de rochers qui abritait une petite source. Elle remplit deux godets, autant pour se donner une contenance auprès de son promis que pour rompre la sécheresse de son palais.

Elle venait de vider le sien d'un trait lorsque la porte du moulin s'ouvrit dans le flanc de pierre de la bâtisse.

Finalement elle n'aurait pas à franchir le seuil et à se tacher.

Gabriel battit son tablier sur le perron tout en la cherchant du regard.

— Je suis là ! le héla-t-elle, préférant l'ombre du vieux pin sous lequel elle se tenait, à l'à-pic du soleil.

Un sourire illumina le visage rond du jeune homme. Une rondeur héritée de l'enfance que corrigeaient le collier de barbe à son menton, l'éclat de deux yeux de chat et une silhouette sculptée par l'effort.

Il allongea aussitôt le pas pour la rejoindre.

— C'est sur tes lèvres que je préférerais boire, lança-t-il en acceptant pourtant le breuvage qu'elle lui présentait.

Il avait assorti sa remarque d'un clin d'œil complice, néanmoins Flore sentit une bouffée d'exaspération la gagner.

— Je ne suis pas venue pour ça.

— Et pour quoi d'autre ? Dans de si jolis atours ? se renfrogna-t-il devant son mordant.

Il a raison, tu t'attendais à quoi, idiote, en te parant de la sorte ? se fustigea-t-elle avant de battre l'air lourd d'une main résignée.

— Mon père. Il m'a arrachée à la moisson pour requérir ton aide. Un méchant tour de reins le contraint au lit et tu connais son tempérament. Il craint l'orage, le relâchement des ouvriers, le pas trop lent des bœufs devant les charrettes…

Gabriel gonfla le jabot comme un coq. Ce don de rebouteux était dans sa famille depuis longtemps. Il avait pourtant sauté une génération, dédaigné son aîné et semblait grandir en lui, d'année en année. Il n'en était pas fier d'ordinaire, mais là c'était différent. Guéri, le père de Flore ne pourrait rien lui refuser. Il faudrait bien qu'il arrête enfin une date pour son mariage avec sa fille. S'il l'avait pu, il aurait couru vers lui sur-le-champ. D'autant qu'il n'avait plus rien à faire et que la jeune femme devant lui embrasait ses sens.

— Je voudrais te suivre, mais je ne peux me permettre que le vieux Pierre trouve porte close. Or, tu le sais comme moi, l'intendant du château ne connaît qu'une heure : entre le lever et le coucher du jour. Un bon prétexte pour s'assurer que les vilains ne perdent pas leur temps.

Elle tordit la bouche. Malgré les cataplasmes d'argile, son père souffrait affreusement. Il serait d'une humeur exécrable.

— Quand ? soupira-t-elle.

— Mon paternel devrait rentrer d'ici une couple d'heures. Si le vieux Pierre n'est toujours pas passé, il me libérera pour que je m'occupe du tien.

Flore reposa le godet.

— Il tiendra jusque-là, j'en fais mon affaire, assura-t-elle, son sourire retrouvé. Je te laisse à ton ouvrage pour m'atteler au mien. À tout à l'heure.

Une main ferme la retint par le bras.

— Et mon paiement ?

Elle se tendit.

Nous y voilà…

— Tu verras cela avec lui, essaya-t-elle, sachant qu'il ne demandait rien d'ordinaire en échange de son don.

Rien aux autres, évidemment, mais elle était en dette de lui depuis si longtemps !

— Un baiser. C'est un baiser de toi que je veux. Un vrai baiser.

Elle releva le menton.

— Ne recommence pas, Gabriel. Nous nous marierons, tu le sais. J'ai seulement besoin d'encore un peu de temps.

Espérant se satisfaire de cette réponse, il lui accorda quelques pas avant de comprendre qu'il n'y parviendrait pas. Du temps ? Elle en avait eu plus que de raison ! Il serra les poings sur une bouffée de jalousie.

— Tu en aimes un autre, c'est ça ?

Giflée par l'évidence, Flore s'immobilisa. Le visage d'Armand dansa devant ses yeux agressés par le soleil de midi. Un visage grave qui s'éclairait, s'animait d'un sourire en sa présence, comme s'il portait en lui quelque trésor que la rudesse de sa condition l'obligerait à cacher. Une fraction de seconde, elle fut tentée d'avouer la vérité à Gabriel. Sonné, il la laisserait tranquille. Mais pour combien de temps ? Leurs parents étaient amis depuis toujours. Ils travaillaient de concert, les uns pour récolter le grain, les autres pour le moudre. Ils avaient décidé de cet accord depuis trop longtemps. Ils n'en changeraient pas. Et puis, que pourrait-elle demander de mieux pour le bonheur de tous ? Gabriel était joli garçon en plus d'être honnête, travailleur et solide de réputation.

— Son nom ! Je veux son nom ! tempêta Gabriel dans son dos.

Elle respira profondément avant de se retourner dans un haussement d'épaules.

— Rethel n'est pas Reims. Tout le monde s'y connaît. Si quelqu'un me courtisait, ou si je me languissais d'un autre, tu lui aurais déjà flanqué ton poing dans la figure.

L'argument fit mouche. La colère de Gabriel retomba, mais pas sa frustration.

— Admettons ! Mais cela ne change rien. As-tu conscience que tous louent le prodige de mes mains dans ce comté ? Tous sauf toi qui refuses que je te touche, lâcha-t-il amèrement.

Elle se troubla. Il avait raison. Cette idée ne lui était pas venue.

Elle revint sur ses pas.

— Je n'ai jamais eu besoin d'être reboutée, essaya-t-elle pour apporter un peu de légèreté.

Elle n'obtint que de le voir s'empourprer davantage.

— Ah non ? Tu as dix-sept ans, moi vingt ! On est fiancés depuis l'enfance. Ne vois-tu pas que je suis devenu un homme, que le désir de toi me consume ? que tu devrais en éprouver autant ? Alors moi je le dis, si ! Tu as grand besoin d'être reboutée, et je sais bien avec quel bout ! s'emporta-t-il soudain.

Elle eut à peine le temps de voir s'envoler le gobelet de ses doigts qu'il l'enlaçait avec rudesse et cherchait ses lèvres.

Le sang de Flore ne fit qu'un tour. Elle voulut le repousser mais trébucha sur l'une des racines du vieil arbre. Elle se sentit partir en arrière. La fraction de seconde suivante, sans même savoir comment, elle était sous son promis, à même la roche tapissée d'aiguilles de pin, et sentait sa main se faufiler sous sa jupe.

— Non ! Non, Gabriel, supplia-t-elle, effrayée par sa détermination.

— Une fois. Une seule fois, grommela-t-il en relevant la tête de son giron pour s'emparer de sa bouche et la faire taire.

Leurs regards s'accrochèrent. Celui de Flore n'exprimait que sa terreur. Et l'ardeur de Gabriel retomba entre ses cuisses.

Il se releva aussitôt, recula d'un pas, bredouilla, confus :

— Pardonne-moi. Je... Je ne voulais pas t'effrayer, pas te forcer. Je suis un idiot... J'ai pensé qu'ainsi tu serais obligée de m'épouser. Je t'aime, Flore. Je t'aime tellement.

Des larmes plein les joues, elle refusa la main qu'il lui tendit et se redressa.

Elle ne voulut plus que s'éloigner de lui.

Désespéré par les conséquences de son geste, il courut derrière elle, hurla pour la forcer à entendre :

— Je ne recommencerai pas, tu as ma parole et tu sais ce qu'elle vaut.

Elle pivota vers lui. Il était aussi blanc que la farine dont il était couvert. Au-dessus d'eux les ailes du moulin grinçaient sous la brise. Un lièvre fila sous un bouquet d'œillets des chartreux, comme si leur face-à-face était à lui seul une menace.

— Ai-je toujours ta promesse de m'épouser ? quémanda-t-il tristement.

Elle aurait dû le rassurer, mais elle voulut le blesser, comme il venait de le faire.

Elle soutint son regard empli de remords et d'espérance, puis, tout en dévalant la colline, lança par-dessus son épaule :

— Je ne sais pas ! Je ne sais plus !

2.

Ardennes.
Village de Rethel.

Flore savait que Gabriel ne la poursuivrait pas. Pourtant, elle ne cessa de courir qu'une fois que le souffle lui manqua. Autour d'elle, la forêt bruissait de chants d'oiseaux et de mouvements furtifs. Elle avança encore de quelques pas sur la route qui la traversait puis, brisant quelques feuilles de fougère, se laissa choir sur un gros rocher dans lequel un charme piquait ses racines.

Si elle ruisselait de sueur, sa gorge était de nouveau sèche. Elle étendit la main et cueillit une dizaine de myrtilles. Combien de fois en avait-elle écrasé sur le nez de Gabriel ? Trop pour ne pas regretter ce temps-là, celui de l'insouciance, des serments échangés sans conséquence.

Elle s'accorda une nouvelle bouchée avant de se lever. Son père devait s'inquiéter de son absence prolongée. Non qu'il y ait quelque raison à cela, mais il n'avait pas la résolution de se sentir diminué et chaque seconde devait lui paraître des semaines.

Elle secoua sa robe, l'ajusta, redressa sa coiffe de coton sur ses longs cheveux bruns tressés, détacha de sa natte quelques aiguilles de pin qui auraient pu trahir la vérité, puis reprit sa route d'un pas vif.

Elle ne tarda pas à dépasser l'un des champs dans lesquels s'activaient les moissonneurs et à abandonner la grand-route pour obliquer à droite, sur le chemin qui ramenait à la ferme. De nouveau l'ombre de la forêt l'enveloppa, bienfaisante.

Si toute peur s'était enfuie, il lui restait néanmoins au cœur l'évidence.

Au fil des années, de leurs jeux, de leur amitié, les sentiments du jeune meunier s'étaient changés en un amour qu'elle ne partageait pas. Du moins pas comme il l'espérait.

Elle n'en avait véritablement compris la raison qu'au printemps dernier. Armand, le rémouleur itinérant, passait régulièrement à Rethel, et cette fois-là, elle s'était surprise à le guetter par la fenêtre dès que son retour avait été signalé. Sitôt qu'il avait franchi le portail de bois, pénétré dans la cour fermée du long corps de logis, elle s'était étonnamment troublée. Bien entendu elle n'en avait rien montré. Enfin, le croyait-elle. Car Armand d'Arcourt n'était pas un jouvenceau. Selon la rumeur il avait trente-trois ans, l'âge du Christ. Mais c'était elle qui avait eu l'impression d'être crucifiée en sa présence. Dès lors, elle avait guetté chacune de ses apparitions avec ce sentiment étrange que l'amour pouvait se nicher dans une barbe mal entretenue, une cicatrice discrète sous l'arcade sourcilière, des traits taillés à la serpe et un regard aux profondeurs de noyer.

Quant à ces mains qui, sans cesse, faisaient glisser les lames sur la meule, elle avait cru défaillir la première fois où, en déposant un pichet d'hypocras sur la table devant laquelle Armand était assis avec son père, elle les avait frôlées.

Pour autant, elle savait qu'il n'y avait rien à attendre de ce sentiment. Si ses parents éprouvaient du respect et une certaine amitié pour cet homme qu'elle connaissait depuis toujours, il n'était pas du pays et, contrairement à Gabriel qui, grâce à leurs échanges commerciaux, apporterait du bien à sa famille, il la ruinerait en s'appropriant sa dot. Et puis, rien jusque-là n'avait laissé sous-entendre qu'il voulait d'elle !

Non.

Ce qu'elle ressentait pour Armand devait rester son secret. Son interdit. Elle vivrait avec, saurait se contenter de rêver de lui tout en donnant des enfants à Gabriel. Elle avait besoin de temps pour s'y faire. Mais comment, après ce qui venait de se passer ?

Elle donna du pied dans une pierre en travers du chemin, enfonça ses mains dans les poches de sa robe neuve.

Ose prétendre que tu détestais les baisers de Gabriel ? C'était avant, d'accord, avant de prendre conscience pour Armand, mais tout de même…, se raisonna-t-elle. *Tu ne peux pas lui en vouloir d'avoir été trop loin quand, du jour au lendemain, usant de prétextes, tu lui as interdit tes lèvres ! Et puis, notre complicité est toujours là ! N'est-ce pas la seule chose qui compte ?*

Elle repoussa l'image du visage d'Armand.

Gabriel a raison. Il est temps que je devienne femme et mère. Et quelle meilleure occasion d'en convenir que ce soir, quand remis debout, papa criera au miracle et voudra fixer la date de mes épousailles ?

Un sentiment de tendresse l'emplit au souvenir de toutes les fois où, à bout d'arguments devant son air buté, son père s'était laissé choir sur sa chaise en secouant sa belle tête aux cheveux déjà blancs, la voix résignée :

« Après tout, ce n'est pas comme si nous ne profitions pas déjà du fruit de vos fiançailles ! Attendons, puisqu'il le faut ! Attendons que tu sois prête ! »

Je le serai papa. Ce soir je le serai, décida-t-elle une fois pour toutes, avant de s'immobiliser, l'oreille tendue.

À en juger par le vacarme qui grossissait dans son dos, plusieurs chevaux arrivaient au galop. Elle fronça les sourcils. Ce chemin ne menait qu'à la ferme dont elle n'était plus guère éloignée que d'un virage, marqué par un hêtre centenaire. Qui donc pouvait y venir et en si grand nombre ? La comtesse de Rethel ? D'ordinaire, elle s'arrêtait au hasard de ses promenades, jamais avec tant d'empressement et d'équipage. Des voyageurs qui se seraient égarés ?

Quoi qu'il en soit, rester sur leur passage était dangereux. Elle s'écarta prudemment, le regard tendu vers ce nuage de poussière soulevé par les cavaliers.

À peine eut-elle atteint le bas-côté qu'elle se sentit happée en arrière. Une main impérieuse étouffa un cri sur ses lèvres.

Elle n'eut pas le temps de se débattre que son agresseur la tournait vers lui.

Les yeux de Flore s'arrondirent de surprise au même rythme qu'un fard emportait ses joues.

Armand.

Il n'était pas tapi là par hasard, comprit-elle.

Il a dû me voir revenir du moulin. Et aura coupé à travers bois pour m'intercepter au meilleur moment.

Son cœur s'emballa dans sa poitrine.

— Pas un mot, pas un geste ! lui intima le rémouleur en la couvrant d'un œil inquiet qui tua sur-le-champ ses espoirs.

Saisie, elle hocha la tête. D'une main vive, il rajusta l'épaisseur du feuillage devant eux.

Pressée contre le torse d'Armand, à mi-chemin entre la curiosité, l'expectative et le trouble généré par cette soudaine promiscuité, Flore vit passer une poignée de soldats qui encadraient un moine vêtu de noir. Malgré leur vitesse et la poussière soulevée, elle reconnut nettement la fleur de lys sur les uniformes.

Ses sentiments contradictoires se muèrent en stupeur.

Que venait faire chez eux l'armée royale ? Et qui était cet abbé ? Elle ne l'avait jamais vu auparavant.

— Il est de l'Inquisition, murmura Armand à son oreille, comme s'il avait pu lire ses pensées.

Cette fois, le sang de Flore se glaça dans ses veines.

Un inquisiteur ? Muni d'une escorte armée ? Ce n'était pas de bon augure.

Elle les vit contourner le hêtre. Presque aussitôt ralentir leur galop. Pas de doute. Ils venaient bien chez elle.

Les mains d'Armand broyaient toujours le haut de ses épaules tétanisées à présent par l'inquiétude. Il les desserra pour la retourner vers lui, le timbre à peine radouci :

— Tu ne peux pas rentrer chez toi, Flore. Il est trop tard pour tes parents.

— Que voulez-vous dire ? bredouilla-t-elle.

Un voile sombre traversa ce regard d'ordinaire empli de lumière lorsqu'il croisait le sien.

— C'est toi qu'ils cherchent.

— Moi ? Mais pourquoi ? répéta-t-elle, de plus en plus ahurie.

— Parce qu'avant de mourir, le roi a prononcé ton nom.

3.

Ardennes.
Village de Rethel.

Le roi a prononcé mon nom…

Flore restait pétrifiée.

Les traits du rémouleur exprimaient une gravité inhabituelle. Il persistait à la maintenir par un bras, comme s'il craignait qu'elle ne lui échappe.

Elle perçut une violence en lui qu'elle ne lui connaissait pas, quelque chose d'indéfinissable. Quelque chose qui, l'arrachant soudain à sa perplexité, la glaça.

— Le roi Philippe V le Long est mort depuis plusieurs mois et je ne l'ai jamais rencontré. Pourquoi lui ou même son frère Charles IV, qui vient juste d'être couronné, s'inquiéteraient-ils de moi ? demanda-t-elle, soudain pressée de chasser cette détestable sensation.

De fait, en huit ans, trois frères s'étaient succédé sur le trône et le peuple de France n'était pas loin de penser que c'était parce que leur père, Philippe le Bel, avait condamné injustement les Templiers. Ils en tenaient pour preuve que ce dernier n'avait survécu que quelques mois à l'exécution du grand maître de l'Ordre, Jacques de Molay. Famine, épidémies, dérèglements climatiques. Rien n'avait été épargné au pays depuis.

Mais nous n'en avons pas souffert à Rethel, se rassura Flore, d'autant plus décontenancée.

Il lui sembla que les sourcils broussailleux d'Armand s'étaient froncés, comme s'il lui coûtait de répondre.

Il ne se défaussa pas pourtant.

— Charles IV ne s'inquiète pas de toi. Il veut te mener au bûcher, comme toutes les Flore Dupin de France qu'il fait arrêter et soumettre à la question.

Flore se sentit plus petite encore sous le regard perçant de cet homme qui la dépassait de deux têtes.

Son souffle s'accéléra dans sa poitrine.

Toutes les Flore Dupin ? Ça n'a pas de sens. Qu'avons-nous en commun ? Arrêtée ? Torturée ? moi ? Mais pourquoi ?

Et soudain ce fut là, comme une vieille ennemie tapie dans l'ombre. Une menace qu'à force d'habitude elle avait fini par oublier.

La tache, sur mon ventre ! Cette mystérieuse tache de naissance ! Serait-ce à cause d'elle ? Non. Impossible. Hormis mes parents, personne ne sait. Pas même Gabriel. Et lui, malgré ses dons, n'a jamais été inquiété.

Elle secoua la tête.

— Je ne suis pas une sorcière. Je n'ai rien fait.

— Je le sais, Flore. Mais je viens de te le dire. Ton nom est à lui seul une condamnation. Tu dois fuir. Maintenant. Avec moi. Je suis ton unique salut.

Fuir. Avec lui.

Combien de fois en avait-elle rêvé ? Une part d'elle aurait voulu se jeter à son cou, l'autre refusait d'entendre. À cause de ses doigts qui lui broyaient le coude, de ce masque dur qui métamorphosait ses traits avenants, de cette veine qui pulsait à son cou, méchamment. La peur se mit à sourdre dans son cœur. Ce n'était pas lui. Pas l'homme qu'elle connaissait. Que lui voulait-il vraiment ? Que signifiait tout cela ?

— Lâchez-moi. Vous me faites mal, le défia-t-elle en tentant de se dégager.

Elle n'obtint qu'une pression plus ferme encore. Il la secoua.

— Entends-tu ce que je te dis ? Il ne faut pas rester là. Ils vont revenir, te traquer.

De sa main valide, elle tenta de décrocher sa tenaille.

— Lâchez-moi ou je crie ! Je ne veux pas partir avec vous. Je veux rentrer chez moi !

— Tu ne comprends pas, Flore. Je ne peux pas te laisser y retourner ! Il est trop tard.

Elle se figea.

N'était-ce pas ce qu'il avait déjà dit ? Trop tard pour ses parents ?

L'angoisse lui remonta dans la gorge. Des éclats de voix, le raclement des sabots des chevaux sur le gravier lui parvenaient désormais, portés par la brise. En une fraction de seconde elle revit sa mère, douce et attentive, son père cloué au lit. Risquait-on de les emmener ? Quelle résistance pourraient-ils opposer à l'autorité royale ?

Je dois savoir !

Comprenant qu'Armand ne la libérerait pas, elle s'enragea, mordit cette main qui lui interdisait de fuir, de jauger la situation par elle-même.

Surpris, il la lâcha. Elle n'attendit pas qu'il se ressaisisse. Prenant ses jambes à son cou, elle releva ses jupons et fila au plus court, à travers bois.

Armand d'Arcourt hésita à peine. Les cavaliers étaient remontés en selle, le bruit de leur cavalcade se rapprochait de nouveau. L'inquisiteur et son escorte ne tarderaient pas à repasser devant lui, à galoper jusqu'à Rethel, leur accordant un sursis.

Elle ne risque rien. Sinon la vérité.

Lors, pour tenter de l'adoucir, il s'élança derrière elle.

Bien que sa course à travers bois l'écartât légèrement de la route, Flore entendit nettement le galop qui s'éloignait de la ferme.

Ils repartent. C'est bon signe, la preuve qu'Armand se trompe, voulut-elle se rassurer. *Ces hommes s'étaient seulement égarés. Sans quoi ils seraient encore là-bas, à interroger papa et maman.*

Au bruit derrière elle, elle devina qu'Armand la suivait. Il ne semblait pourtant pas vouloir la rattraper. Sans doute lui aussi avait-il compris qu'il n'y avait plus de danger.

Un roi ? Qui voudrait me pendre à cause de mon nom ? C'est absurde.

Elle chercha une raison pour qu'Armand ait inventé cette fable, une raison qui repoussât cette crispation dans son cœur. N'en trouva pas. Quoi qu'il en soit, elle n'avait que peu goûté ses manières.

Gabriel tout d'abord, Armand maintenant...

Elle parvint devant le mur d'enceinte de la ferme qu'elle contourna, traversa le petit pont qui enjambait un bras menu de la rivière pour irriguer le potager, trouva le portail grand ouvert.

De nouveau ses sens se mirent en alerte. Sa mère prenait toujours soin de le refermer pour éviter que les canes, folâtres dans la cour, ne se dispersent dans le bois où renards et belettes foisonnaient.

Elle entendit le bruit des bottes derrière elle.

— Attends-moi, Flore ! supplia Armand.

Mais elle venait de voir la porte de la maison, béante.

Par cette chaleur ?

Son cœur s'emballa dans sa poitrine. Oubliant Armand, elle se précipita dans la cour, appelant ses parents.

Elle n'obtint qu'un silence inhabituel. Elle se jeta dans la maison, le souffle court, manqua défaillir devant le désordre qui y régnait.

— Maman ! Papa ! s'étrangla-t-elle devant leurs silhouettes avachies l'une contre l'autre, au pied du lit que son père n'avait pas quitté de la matinée.

Elle se jeta sur eux, voulut les secouer. Ils lui glissèrent des mains, s'étalèrent comme deux poupées de chiffon sur les tomettes, tachant ses paumes d'un sang épais.

Morts ! Ils sont morts !

Elle hurla, du désespoir plein les yeux, partagée entre l'incompréhension et l'incrédulité.

Lorsque le souffle lui manqua, la main d'Armand recouvrit son épaule.

— Tu ne peux plus rien, Flore. Ne te trouvant pas dans la cité, l'inquisiteur reviendra t'attendre ici. Nous devons fuir.

Elle se dégagea.

— Je me moque de l'inquisiteur. Hors de question que je les abandonne ! Je dois... Je dois...

Elle éclata en sanglots convulsifs. Elle ne savait pas ce qu'elle devait, mais une chose était certaine : elle ne pouvait pas partir.

Elle se sentit relevée, attirée contre le tablier de cuir du rémouleur. Elle y chercha l'odeur du labeur pour tromper celle de l'abîme.

— La seule chose à faire est de survivre..., murmura-t-il dans son dos, l'œil embrassant la situation comme par réflexe.

— Non ! Non ! se révolta-t-elle, piquée de nouveau au vif. C'est un cauchemar, juste un cauchemar ! Je vais me réveiller !

Espérant y parvenir, elle s'agita, se mit à battre ce torse épais de sa colère et de sa détresse.

— Viens, insista-t-il, voulant l'entraîner à l'extérieur.

Elle refusa d'entendre.

Quitter ces deux êtres qui l'avaient mise au monde lui déchirait le cœur, la raison.

— Pardonne-moi, entendit-elle à l'instant où les deux pouces d'Armand s'enfoncèrent derrière sa nuque.

Elle écarquilla les yeux, eut l'impression de manquer d'air, de voir la pièce envahie d'une nuée d'insectes, puis s'effondra.

Armand la déposa à terre avant de se précipiter derrière la courtine qui séparait le lit de Flore de celui de ses parents. Il ouvrit un coffre, récupéra quelques vêtements, les fourra dans une besace à deux godets qu'il enleva d'une poutre maîtresse, puis revint vers elle.

Il tendit l'oreille. Tout était silencieux dehors, mais ils avaient déjà perdu trop de temps.

La sacoche sur une épaule, Flore couchée en travers de l'autre, il traversa la cour laissée à l'abandon et s'évanouit dans les bois.

4.

Paris.
Grand béguinage royal[1]*.*

Jeanne de Dampierre étouffa un discret bâillement derrière sa main aux ongles soignés. Un reste de cette délicieuse lassitude que l'acte d'amour amenait toujours en elle. Elle entendit sonner deux heures de l'après-midi au clocher de la petite communauté de béguines au sein de laquelle le roi Charles IV lui avait acheté cette maison. Une demeure à étage, aux fenêtres étroites, située au carrefour des rues du Fauconnier, du Figuier,

1. L'ordre des béguines a été fondé par le roi saint Louis pour protéger les femmes qui n'étaient ni mariées ni nonnes. Bien que pieuses, elles jouissaient d'un statut à part, pouvaient travailler librement, voyager, recevoir, et vivre hors de la communauté. Le grand béguinage royal accueillit jusqu'à quatre cents femmes à Paris au XIIe siècle, mais beaucoup d'autres béguines vivaient seules, ce dans toutes les villes de France et d'Europe. L'ordre a amorcé son déclin avec la montée de l'Inquisition.

de la Mortellerie et des Barrés. Elles étaient une trentaine de femmes à vivre encore dans ce quadrilatère adossé au rempart de Philippe Auguste. Des femmes libres, sans époux, sans règle. Libres d'étudier, de travailler, de circuler, de voyager. Sans avoir à rendre compte à qui que ce soit.

Un ordre qu'on l'avait contrainte à rejoindre huit ans plus tôt, mais dont, très vite, elle avait pu goûter les avantages et les bienfaits.

Son regard, tourné vers la fenêtre, s'attardait sur son amant, nu jusqu'à la ceinture autour de laquelle il avait négligemment enroulé un morceau du drap qui bâillait de la couche.

Il venait de bondir hors du lit en entendant une rixe éclater dans la rue.

— Ce n'est que la querelle de deux portefaix, lui dit-il.

Jamais Jeanne ne l'avait vu si anxieux. Comme s'il craignait qu'on ne surgisse dans cet enclos pour l'arracher à elle.

Un sourire discret lui échappa. Il se dégageait de lui, en cet instant, une fragilité nouvelle. Un voile de crispation sur ce profil que certains qualifiaient de bel, comme son défunt père, dont, pourtant, il n'était qu'un pâle reflet.

Charles IV laissa retomber le pan du rideau de dentelle qu'il avait soulevé.

Noué par la tension et le désir frustré, il se coula de nouveau jusqu'à elle.

— Et si nous reprenions, murmura-t-elle en creusant de son pouce la commissure des lèvres fines.

Elle les pénétra, fouilla cette bouche, si souvent gourmande, de son doigt, puis de sa langue, jusqu'à ce que, le souffle coupé par l'ardeur de son baiser, il la chavire en arrière, sur l'oreiller. Jeanne s'y cambra, offerte, le laissant à son tour lui lécher le cou, descendre vers ses seins tendus. Elle lui enroula la nuque, le haut des épaules, effleura ses reins, l'arrondi des fesses, rivalisa de pressions subtiles ou appuyées, avant de comprendre qu'elle n'en tirerait rien. Sous le flot nourri de ses gémissements et de ses caresses, son amant aurait déjà dû plonger son visage ou son mât entre ses cuisses.

— Êtes-vous seulement préoccupé ou dois-je entendre dans ce peu d'entrain l'intérêt que vous portez à une autre ? demanda-t-elle comme il lui mordillait, trop mollement, un téton.

Il redressa la tête, mal à l'aise.

— Quelle autre ?

— Plus jeune, plus belle... Vous êtes roi à présent, Charles.

Il rejeta en arrière la masse soyeuse de ses boucles brunes.

— Je suis roi, oui. Un roi enfin libéré par l'Église d'une épouse[1] qui l'a trahi.

— Un roi libre, donc.

1. Blanche de Bourgogne. Elle a couvert l'adultère de ses belles-sœurs, épouses respectives de Louis le Hutin et de Philippe le Long, lors de l'affaire dite « de la tour de Nesle ». À l'avènement de Charles elle est toujours emprisonnée, comme ses belles-sœurs. Il refusa de la faire libérer et demanda l'annulation de leur mariage qu'il obtint le 19 mai 1322. Blanche de Bourgogne quitta le cachot pour l'abbaye de Maubuisson où elle entra dans les ordres. Elle y resta jusqu'à sa mort en 1326.

— Libre ?

Il ricana, se rejeta en arrière, à genoux devant elle, son vit mol perdu entre les replis du drap.

— Est-ce être libre que de vouloir par-dessus tout vous poser la couronne sur la tête et de ne le pouvoir ?

Il s'empara de ses mains, les porta à ses lèvres, sans quitter ce regard aux couleurs de l'automne dont la lumière, pourtant, rappelait indéfiniment l'été.

— Libre, Jeanne ? Que sont mes sentiments face aux intérêts du royaume ? Mes frères, mes neveux, tous sont morts ! Je suis le dernier d'une lignée illustre qui depuis plus de trois cents ans gouverne la France. Je lui dois un héritier. Un héritier que vous ne m'avez pas donné…

Un rire désabusé s'empara de Jeanne.

— N'est-ce pas vous qui avez décidé de me placer en béguinage, m'interdisant de fait de procréer[1] ? Allez-vous me reprocher à présent d'avoir usé de tous les subterfuges pour me garder des conséquences de votre lit ?

Il l'attira à lui, colla son front au sien, fiévreux, lui plaqua la paume sur sa poitrine endiablée.

— Taisez-vous ! Taisez-moi ce malheur qui me rendit si heureux. Vous avoir à moi et n'en pouvoir retirer que du plaisir ? Entendez-vous comme il cogne ce fourbe,

1. La liberté des béguines, ne dépendant d'aucun homme, était décriée par beaucoup. Mieux valait préserver la réputation de la communauté. Ainsi, si les filles mères pouvaient devenir béguines et voir leurs filles élevées au sein de l'institution, elles devaient quitter l'ordre lorsqu'elles se remariaient, ou procréaient.

ce scélérat ? Comme il s'affole d'imaginer le pire ? Vous perdre ?

Elle le repoussa, un rire doux-amer en gorge.

— Allons, Charles, je ne vois rien qui prête au drame. Je me suis accommodée de cette situation. Craignez-vous donc que je ne sache plus où est ma place ?

Il se mordit la lèvre.

— Il ne s'agit pas de cela. Vous savez comme moi que l'Inquisition a toujours pointé du doigt les béguines. C'est d'autant plus vrai aujourd'hui.

Jeanne soupira.

— N'a-t-elle pas assez d'occupation avec cette malédiction autour de la couronne ?

Il était devenu blême. Il secoua la tête.

— Nul ne touchera à vous. Je tiens l'Église entre mes mains, comme autrefois mon père. Mais me remarier au plus vite soulagerait les tensions. Tant que toutes les Flore Dupin du royaume n'ont pas été arrêtées, tant qu'une seule de ces sorcières peut m'atteindre, mes conseillers craignent pour l'avenir de la France.

Jeanne enroula tendrement sa main autour de sa joue.

— Alors mariez-vous et rassurez-les. Ma vie entière est à vous. Que pouvez-vous espérer, attendre de plus que ces moments volés à la tenue du royaume ? Rien, dont, moi, je ne me satisfasse.

Elle l'attira de nouveau vers ses lèvres, y glissa une langue gourmande, échappa à la sienne derrière l'émail parfait des dents pour mieux s'y enrouler ensuite et l'entraîner dans ses jeux. Elle sentit gonfler son vit entre ses doigts experts, guida ses mains entre ses cuisses ouvertes pour qu'à son tour il ne songe plus qu'à la pénétrer.

Un gémissement de désir la cabra en arrière, regard ardent, moue gourmande. Elle vit son regard chanceler.

— Jusqu'à quel point m'aimez-vous, Charles ?

— Jusqu'à la folie.

Elle le poussa en arrière, rampa, féline, jusqu'à s'asseoir à califourchon sur ce mât qui, enfin, ne voulait plus qu'elle.

Elle ondula dessus, s'amusant du désir qu'elle attisait de ses contractions volontaires, le poignardant de son œil provocant, happant, léchant cet index qu'il venait de détacher de la pointe d'un sein.

— J'ai besoin de toi, murmura-t-il, ébloui une fois de plus par sa sensualité, par sa maîtrise du plaisir tandis que le sien culminait déjà.

— Ni Dieu ni maître, seulement toi, feula-t-elle, un éclat de victoire dans le regard.

Il se troubla, intensément.

Elle jouit, sauvage, du haut de ses vingt-sept ans.

Mais sans qu'il fût certain qu'elle l'aimât autant que lui.

5.

Ardennes.
Château de Rethel.

Louis de Dampierre était furieux. Sa colère se répercutait sur les murs voûtés de la salle de réception, butait contre les piliers de soutènement des arches, rebondissait sur les montants des dix fenêtres à meneaux, s'enroulait autour des bougies des lustres circulaires solidement attachés au plafond, écrasait les tomettes de terre cuite.

Il n'était pas un serviteur dans le château de Rethel qui n'en prît la mesure.

— De quel droit déboule-t-on sur mes terres ? De quel droit assassine-t-on mon métayer ? tonna-t-il avec cette emphase qui lui était propre.

À l'inverse, son épouse, la comtesse de Rethel, se tenait un peu trop droite, comme amidonnée, sur l'assise d'un banc. Elle maintenait ses mains croisées sur les genoux, les empêchant de frémir par le biais d'une volonté farouche qui occupait toutes ses pensées.

L'œil froid de l'inquisiteur allait de cet homme qui passait et repassait devant lui à la comtesse, trop soumise et discrète.

— Il s'agit d'une affaire de sorcellerie, argua-t-il du même ton neutre dont il semblait ne jamais se départir.

— De la sorcellerie ? À Rethel ? s'empourpra le comte.

Il s'immobilisa enfin, détailla ce prélat qui lui faisait face.

Petit, sec, inexpressif malgré les deux billes noires qui lui servaient d'yeux.

Un homme dangereux, conclut-il sans pour autant détourner son regard ou changer de ton.

— Je connais chacun et chacune dans cette cité et je peux affirmer qu'aucun d'eux ne peut être soupçonné d'accointance avec le diable.

— Et vous, comtesse ? s'enquit l'inquisiteur, montrant le peu de crédit qu'il accordait à l'opinion de son époux.

La comtesse de Rethel releva une figure pâle.

— Moi ? demanda-t-elle, le regard fuyant.

Louis de Dampierre sentit sa colère monter d'un cran lorsque, mains sèches croisées au dos, l'inquisiteur marcha vers elle, tel un prédateur sur sa proie.

— Affirmeriez-vous qu'aucune rumeur n'a, jusque-là, porté le doute sur cette fille, cette Flore Dupin ?

La comtesse de Rethel secoua la tête.

L'inquisiteur ne s'en satisfit pas.

— Allons, madame, n'a-t-on jamais évoqué devant vous une tache de peau sur elle ? La marque du diable ?

Cette fois Louis de Dampierre n'y résista pas. Il s'interposa entre cet indélicat et son épouse.

— Il suffit ! Ne voyez-vous pas qu'elle est bouleversée par ce crime inqualifiable, comme nous le sommes tous ? Je vous le redis, nous n'avons jamais eu à nous plaindre des Dupin. Et vous ne trouverez personne dans le comté, pas même un curé, qui vous en dise du mal ou accrédite votre thèse !

L'inquisiteur jeta encore un regard de biais à la comtesse. Soulagée par l'intervention de son époux, elle avait de nouveau baissé le front sur ses genoux. Il nota toutefois qu'elle torturait toujours ses mains l'une dans l'autre. Et ne doutait pas que sa présence, plus que la mort de ses métayers, était la cause de son émotion.

Il prit le temps d'observer Louis de Dampierre toujours planté devant lui, jambes légèrement écartées, poings le long des cuisses, dont l'une, la droite, accueillait le baudrier d'une épée longue. Il fallait une grande ardeur pour manier semblable arme. Ardeur que le menton fier ne démentait pas plus que l'œil ou la stature haute et massive qui le dominait de huit pouces.

Pour autant, l'inquisiteur ne s'était jamais senti menacé par quiconque. Pas plus qu'il n'avait été intimidé jusque-là, fût-ce par un roi.

Il hocha la tête.

— Soyez sans crainte. Je vais partir. Quitter vos terres. Mais pas avant d'avoir saisi la fuyarde. J'espère simplement qu'elle n'aura pas la fâcheuse idée de se cacher sous ce toit un peu trop complaisant.

Cette fois c'en fut trop.

— Sortez ! tempêta Louis de Dampierre en tendant un index comminatoire en direction de la porte et du valet qui tremblait devant.

L'inquisiteur obtempéra, sans desserrer le bloc de ses mains sur ses reins.

Aussitôt Louis de Dampierre lui emboîta le pas.

Il prit le temps de le regarder monter en selle, encadré de son escorte armée, puis quitter l'enceinte du château. Ensuite, tourmenté, il revint auprès de sa femme.

Il la trouva telle qu'il l'avait craint. Elle ne bougeait plus, comme avalée dans un autre monde. Ce n'était pas la première fois. Au fil des années, il l'avait vue de plus en plus fréquemment disparaître en elle-même, puis revenir sans aucun souvenir du temps écoulé, comme si une part d'elle mourait durant quelques minutes ou quelques heures. Ensuite tout reprenait sa place et c'était comme si rien ne s'était passé. Il s'agenouilla auprès d'elle, l'appela tendrement.

— Ma mie… C'est moi, Louis, votre époux.

Il caressa ces cheveux parmi lesquels quelques fils blancs avaient tissé leur toile.

Ils avaient partagé déjà trente-deux années mais elle restait pour lui la jouvencelle de quatorze ans au regard frondeur, au sourire qui lui mangeait le visage, aux taches de son sur le nez, discrètement busqué, la jouvencelle qui lui avait dit « oui » comme on donne un baiser. Il aurait été prêt à tout pour elle. Il était toujours prêt à tout pour elle. Il l'aimait comme au premier jour.

Il posa sa tête sur ses genoux, indifférent au regard des valets. Aucun n'aurait ri, médit de son attitude. Il était juste et bon pour les siens, grâce à sa femme, à ce qu'elle avait fait de lui en le baignant de sa lumière. Lors, il refusait d'admettre qu'elle s'affaiblisse un peu plus chaque jour. Qu'il perde la seule bataille qu'il aurait voulu gagner.

Un long moment s'écoula encore avant que la comtesse ne revienne à elle, avant qu'elle ne dépose un œil surpris sur lui.

— Vous. À mes pieds. Cela a recommencé, soupira-t-elle comme une cause entendue.

Il lui sourit avec tendresse.

— Vous souvenez-vous de quelque chose ?

Elle secoua la tête, puis soudain sa mémoire se réappropria les images : Mahaut venue leur apprendre l'assassinat des Dupin, l'intrusion de l'inquisiteur.

Ses yeux s'emplirent de larmes.

— Il faut prier. Prier pour qu'ils ne retrouvent pas la petite. Ce n'est pas une sorcière, Louis.

Il embrassa ce front brûlant d'angoisse.

— Je le sais, ma mie. Il n'y a jamais eu et il n'y aura jamais de sorcière à Rethel.

Il la pressa contre lui, s'attarda sur le souvenir de la marque qu'elle portait à la hanche et sur laquelle il avait si souvent porté ses baisers.

Folie des hommes ! rugit-il intérieurement.

Comme Flore qu'il avait vue grandir, son épouse était la piété et la bonté incarnées.

6.

Ardennes.
Abords de Rethel.

Lorsque Flore reprit conscience, ce fut avec la sensation que tout son sang s'était déversé dans son crâne. Ouvrir les yeux accrut encore son malaise. En plus d'avoir la migraine, d'être nauséeuse, elle ne comprit pas pourquoi tout bougeait, pourquoi tout semblait à l'envers autour d'elle, pourquoi lui parvenait une odeur de mucus et de fougères, de sang, de cuir et de champignons mêlés. Tourneboulée, brassée au même rythme que la végétation autour d'elle, elle tenta de remettre ses idées en ordre.

Sens dessus dessous. Voilà ce que je suis. Mets-toi droite ! se pressa-t-elle.

Elle se cambra en arrière pour mieux examiner les alentours. Elle vit filer le cul d'une biche dans une trouée d'arbres, devina l'éclat de l'eau dormante de l'étang caressé par le soleil.

La forêt. Je suis dans la forêt, comprit-elle dans une bouffée d'angoisse.

Les souvenirs affluèrent.

Elle se revit courant jusqu'à la ferme, découvrant le corps de ses parents.

Le chagrin déferla dans ses veines.

Elle était couchée en travers de l'épaule d'Armand. Armand qui l'emportait loin d'eux.

Ahurie une fraction de seconde, peinant à émerger de cette désespérance qui lui broyait le cœur, ce furent l'inconfort, la certitude qu'elle ne pouvait tolérer semblable traitement, qui l'en arrachèrent.

— Faites-moi descendre ! Tout de suite ! tonna-t-elle.

Et pour bien marquer sa détermination, elle entreprit de lui marteler le dos en hurlant.

Armand était en nage, pas fâché qu'elle soit revenue à elle, même s'il se doutait que cela engendrerait d'autres problèmes.

Il la remit sur ses pieds.

Flore s'était imaginé en avoir terminé avec son malaise, mais ce fut pis. Tout bascula autour d'elle. Elle tituba, comme ivre, et ne dut qu'à la vigilance du rémouleur de ne pas se fracasser le crâne sur l'arbre mort couché en travers d'un fourré.

Armand l'aida à s'y asseoir. S'étant assuré qu'elle ne risquait pas de basculer en arrière, il posa un pied mouillé près d'elle, sur l'écorce mangée par les lichens, puis décrocha une gourde à sa ceinture. Il avala quelques gorgées d'eau avant de la lui tendre.

— Bois lentement. Cela va aider ton corps à se repositionner.

— Je n'en aurais pas eu besoin si vous ne m'aviez pas attaquée, maugréa-t-elle.

Elle porta néanmoins l'embout à ses lèvres. Elle ne demandait pas mieux que d'en finir avec cette détestable sensation de tournis.

Armand savait que ce ne serait pas long. Il avait foi en sa capacité à réagir, à dépasser sa souffrance. Il l'avait vue grandir, se transformer, mais toujours dans la vaillance, dans la ténacité. La seule chose qu'il n'avait pas prévue en elle, c'était cette beauté farouche qui depuis quelques mois le bouleversait.

— Je suis navré, Flore, je n'avais pas d'autre choix. Pas d'autre solution que cette inconfortable posture pour toi, s'excusa-t-il, sincère.

— On a toujours le choix, lui rétorqua-t-elle en lui rendant sa gourde.

— Je devais avancer vite, mais pas au prix de t'égratigner ou de t'assommer au passage des branches et des ronces.

— Cessez de vous justifier ! D'autant que cela n'aurait pas changé grand-chose. Par votre faute, j'étais déjà inconsciente ! Que m'avez-vous donc fait pour que je perde connaissance si vite ? rugit-elle, laissant transparaître autant de colère que de désarroi.

Il lui sourit tristement.

— Est-ce important ? Les soldats sont à ta recherche. Nous devions nous éloigner d'eux, de cet inquisiteur le plus rapidement possible. C'est toujours vrai, Flore.

Il avait posé ses avant-bras sur son genou replié. Derrière le sentiment d'urgence, il émanait de lui cette douceur de ton, de traits dont elle s'était éprise. Elle sonda son regard. Elle n'y discerna ni menace ni angoisse. Juste une profonde tristesse.

Il partage la mienne, comprit-elle. *Et au lieu de me sentir épaulée, je lui aboie après.*

De nouveau le chagrin et l'incompréhension l'accablèrent. Elle aurait voulu revenir en arrière, au tout début de cette journée, quand elle rêvait encore de lui, quand elle attendait Gabriel sous les ailes du moulin.

Elle blêmit.

— Gabriel !

Il fronça les sourcils.

— Quoi Gabriel ?

Elle bondit sur ses pieds, lui fit face, les jambes encore flageolantes.

— Nous sommes fiancés. Si l'inquisiteur est à ma recherche, n'est-il pas en danger lui aussi ?

Il se crispa.

Redevenue fébrile, elle enjambait déjà une branche morte, faisant détaler un lièvre qui se cachait dessous.

— Je dois retourner au moulin. Nous n'en sommes pas loin. Il n'est peut-être pas trop tard, débita-t-elle davantage pour elle-même que pour lui, dont le silence était éloquent.

Elle manqua glisser sur un tapis de mousse. Il la retint par le bras, la ramena contre lui.

Elle sentit son cœur s'emballer dans sa poitrine. L'indécence de sa réaction en pareilles circonstances la fit le repousser un peu trop sèchement, lui tourner le dos et prendre ses repères.

— Le moulin est dans cette direction.

— Nous allons dans l'autre, Flore.

Elle pivota, furieuse.

— Non. Je sauverai Gabriel. Avec ou sans vous ! Et ne me dites pas qu'il est trop tard ! Ne me dites plus jamais qu'il est trop tard !

— Je dis seulement que je ne te laisserai pas te jeter dans la gueule du loup.

— Et comment comptez-vous m'en empêcher ? En me faisant perdre connaissance, comme tout à l'heure ?

Elle ramassa un bâton, s'en arma pour mieux lui faire face.

— Vous ne me prendrez plus par surprise !

Ils s'affrontèrent quelques secondes du regard. Jusqu'à ce qu'un mouvement dans les fourrés, à quelques pas d'elle, la fasse tressaillir et baisser sa garde. D'un bond Armand fut devant elle, la privant de sa maigre défense, la saisissant aux épaules.

— S'il te plaît, Flore. Ne m'oblige pas à te contraindre à me suivre.

Elle se débattit.

Il la bloqua contre lui, l'adossa, désespérée, contre le tronc d'un arbre.

C'est à cet instant que retentirent les premiers aboiements de chiens.

Flore se tétanisa.

— Une meute. Elle approche. Doutes-tu encore que ce soit pour toi ? la secoua Armand.

Un tremblement la gagna.

Elle sentit une main emporter la sienne.

Lors, refoulant le sentiment d'abandonner Gabriel comme elle avait abandonné ses parents, elle se mit à courir.

7.

Paris.
Quartier d'Outre-Grand-Pont[1].

À son tour, Jeanne de Dampierre laissa retomber le rideau devant la fenêtre de sa chambre. Remonté à cheval, le roi Charles IV venait de disparaître dans le sillage des deux hommes d'armes qui veillaient discrètement à sa sécurité. Malgré la chaleur, il avait recouvert son front du capuchon de sa mante légère. Précaution inutile. Les habitants du quartier savaient depuis longtemps qu'il fréquentait sa maison. Pour preuve, cette porte qu'il avait fait ouvrir dans le mur du cellier pour faciliter ses allées et venues. Aucune autre bâtisse du grand béguinage royal ne possédait d'issue sur l'extérieur.

Jeanne attendit quelques minutes encore, s'étirant comme ce jeune chat qu'elle avait recueilli dans un

---

1. À cette époque, Paris était divisé en trois quartiers à l'intérieur des murailles de Philippe Auguste : Outre-Petit-Pont, rive droite de la Seine, avec les universités ; l'île de la Cité avec Notre-Dame, et le palais royal ; Outre-Grand-Pont, rive gauche, avec le port de Grève, les quartiers marchands et le Louvre. Le clos du Temple se situait encore au-delà des murailles.

caniveau et qui, depuis que le roi avait quitté sa couche, s'était réapproprié l'édredon jeté au bas du lit. Il tendit une patte joueuse, l'enroula autour de son mollet comme elle passait à proximité.

Elle lui échappa, soucieuse.

— Oh non, mon joli. Pas maintenant !

Un miaulement vexé lui répondit, auquel elle n'accorda pas d'intérêt.

Elle passa la tête par la porte qui donnait sur le palier.

— Tu peux monter, Bertrade.

Une femme d'une cinquantaine d'années gravit aussitôt les marches de bois à sa rencontre.

— Je dois sortir, mais pas me faire remarquer. Aurais-tu une tunique discrète à me prêter ? lui demanda-t-elle.

Bertrade souleva un sourcil curieux. Certes, elle avait sensiblement la même taille que sa fougueuse maîtresse mais jamais elle ne l'avait vue porter autre chose que les effets offerts par le roi.

— Je ne peux te dire pourquoi, mais c'est important. S'il te plaît, insista Jeanne.

Bertrade disparut dans le couloir, gagna sa propre chambre, tout au fond, près de la bibliothèque et de l'étuve, puis revint les bras chargés.

— Parfait, se décida Jeanne en la délestant d'une cotte[1] de serge brune.

---

1. Tunique droite, fermée par des lacets sur la poitrine. Elle se portait longue pour les femmes, à hauteur de genou sur des braies pour les hommes.

Il lui suffirait de la compléter d'une ceinture sur laquelle elle attacherait son aumônière, présent du roi, sa petite bourse et l'étui de ce poignard qui, lorsqu'elle sortait, ne la quittait jamais.

Bertrade l'aida à s'habiller puis entreprit de démêler cette abondante chevelure brune que le roi avait emmêlée. Pour finir elle lui tressa les cheveux puis les lui enroula autour des oreilles.

Jeanne sourit au miroir.

— Parfait, comme toujours.

Elle arrêta pourtant la main de Bertrade posée sur le fard.

— Pas aujourd'hui.

Un grognement de désapprobation s'échappa cette fois des lèvres de Bertrade. Muette de naissance, elle avait développé toute une série de nuances qui valaient pour Jeanne les meilleurs discours.

— Je te l'ai dit. Je ne cherche pas à paraître, au contraire.

Elle repoussa tout autant la guimpe et le voile qu'elle lui tendit.

— Sors plutôt ma cape. Je passerai plus facilement inaperçue recouverte d'une simple capuche.

Un nouveau grognement la fit s'attendrir.

— Tu veilles sur moi comme une mère, mais je n'ai pas faim. Il fait trop chaud. Quelques pois à la menthe et un œuf mollet suffiront pour mon souper. Rien ne t'empêche, si tu as meilleur appétit, de les compléter à ton aise.

Elle se leva, prit en coupe le visage disgracieux.

— Je serai de retour pour la messe.

Bertrade s'écarta dans un soupir. Elle était depuis toujours au service de Jeanne et connaissait cet air. Il ne lui disait rien qui vaille.

Jeanne se coula parmi le flot des passants sitôt qu'elle eut rejoint la rue de Jouy. On s'activait autour d'elle. Là un couvreur affairé sur une échelle houspillait son apprenti, ici une ribaude, coincée à l'angle d'une maison maquerelle, tendait une bouche avenante en faisant jouer son jupon. Manœuvres, ouvriers, portefaix se répondaient, les uns distribuant les tuiles, les coins ou les étais, d'autres repassant le bois d'une porte, martelant un volet. Jeanne zigzagua entre des petits groupes de bourgeois qui achetaient cresson des fontaines, œufs ou lièvre sortis d'un panier, refusant de la tête l'approche d'autres gagne-deniers. Assise à même le pavé, une sans-feu tendait sébile tout en nourrissant son enfant. D'ordinaire Jeanne se serait arrêtée pour lui proposer l'asile du béguinage, aurait passé plusieurs minutes à la convaincre avant de l'épauler jusqu'au clos.

Impossible aujourd'hui, se résigna-t-elle, le cœur serré.

Elle allongea le pas, se faufila entre un ménestrel et un jongleur pour éviter les badauds qu'ils attiraient.

À la foule s'ajouta bientôt le flot des voitures à bras, des charrettes, des cavaliers et du bétail au croisement de la rue Saint-Martin.

De sorte qu'il lui fallut plus d'une heure et autant de patience pour arriver enfin à la rue des Écrivains, les doigts tétanisés à force de serrer son aumônière agrafée à sa ceinture.

Jeanne s'apaisa en essuyant son front ruisselant de sueur. Ici le flux était plus calme, bien que l'on y échangeât complainte, courrier administratif, harangue, à même le pavé. Outre les écrivains publics, la ruelle était connue pour accueillir les devantures des marchands de cire. Elle dépassa un groupe de moines aux besaces débordantes de chandelles et de tablettes à écrire, tourna à l'angle de l'église Saint-Jacques-de-la-Boucherie et pénétra dans un cul-de-sac fermé par les Estuves de Martin Biau, auxquelles avaient recours de nombreuses béguines du quartier Saint-Eustache.

Jeanne ajusta le capuchon de sa cape en dessous de la ligne de ses sourcils, puis se glissa entre la maison de bains et un second mur aveugle.

Elle poussa une porte sans enseigne, fut saisie par une odeur prégnante de sucs, de métaux chauffés et de simples mélangés. Quelques candélabres dont les pieds avaient depuis longtemps disparu sous un amoncellement de cire répandaient une clarté diffuse. Elle nota plusieurs rangées d'étagères au-delà d'un comptoir en bois ouvragé depuis lequel des démons grimaçaient. Deux chats noirs y montaient une garde lascive. Réveillés par son intrusion, ils clignèrent d'un commun accord de leurs yeux jaunes.

Si elle n'avait été si déterminée, elle aurait fui sans se retourner.

Ressaisis-toi ! se reprit-elle avant d'appeler :

— Il y a quelqu'un ?

Un vieux bossu à la barbe rare et au front dégarni apparut devant elle, comme jailli de nulle part. Il frotta l'une dans l'autre des mains osseuses.

— Que puis-je pour votre service ? s'enquit-il dans un sourire édenté.

Elle ouvrit sa besace, en sortit une liste.

D'une main, l'homme approcha le vélin d'une chandelle, de l'autre il caressa la tête d'un des félins, avant de ramener vers elle son air satisfait.

— Est-ce un ami ou un ennemi que vous souhaitez enherber ?

Le ton était neutre, indolent.

Habitué.

Elle reprit de l'assurance.

— Un ami. Je veux le maintenir dans l'exagération de son amour pour moi.

Le mage hocha la tête d'un air entendu, et cette fois encore elle ne lut aucun jugement dans son regard aux profondeurs d'acier.

— Il suffira d'ajouter au philtre dont je vais vous préparer les ingrédients un peu de sa semence. Je suppose que vous saurez en recueillir.

Elle se contenta de hocher la tête, gênée.

Il passa derrière le comptoir, grimpa à une échelle qui courait le long des étals garnis de bocaux.

— Il vous faudra tremper un objet dans ce philtre, un objet dont vous serez certaine qu'il deviendra son obsession. L'avez-vous ?

— Oui, confirma Jeanne en songeant à cette plume dans son tiroir.

— Parfait ! se réjouit l'homme. Il ne reste plus que la poupée. Je vais vous donner la cire adéquate, mais pour ce qui est de l'aiguille, j'ai besoin d'en connaître l'effet souhaité.

Jeanne prit une profonde inspiration, pourtant ce fut un murmure qui jaillit de ses lèvres :

— Je veux que mon absence devienne insupportable à mon amant. Au point qu'il en perde la raison et qu'il en meure.

8.

Ardennes. Bois de Gusan.
Environs de Rethel.

Talonnée par la meute, Flore manquait de souffle. Armand l'entraînait toujours par la main, comme pour lui interdire à la fois de ralentir et de tomber. Il l'obligeait à sauter par-dessus les taillis, jupon relevé entre ses doigts crispés. Il la contraignait à se faufiler sous les branches basses, à repousser les ronces d'un coup d'épaule.

Elle s'égratignait au sang, déchirait ses vêtements, voyait défiler les troncs d'arbres, détaler les animaux devant elle. À chaque nouvelle enjambée, elle avait l'impression que ses jambes, ses poumons, son cœur allaient céder. Elle aurait voulu crier grâce mais elle continuait de courir, haleine perdue, au mépris de ses souliers un peu trop légers, de ses semelles trop fines. À plusieurs reprises, ses chevilles tournèrent sur des racines protubérantes, des inégalités de terrain, des pierres saillantes à demi recouvertes de mousse, lui arrachant un petit cri de surprise, d'angoisse ou de douleur. Armand n'en tint aucun compte, lui signifiant par son indifférence qu'elle n'avait d'autre choix que de fuir, dût-elle y laisser un orteil ou une jambe.

Épuisée, elle ne voyait aucun abri où se réfugier alors même que derrière elle les aboiements des chiens se faisaient de plus en plus hargneux.

Elle s'en voulut d'avoir quitté Gabriel de cette manière, de lui avoir laissé croire que tout était terminé. Elle s'en voulut de ne pas l'avoir épousé avant, de ne pas lui avoir donné des enfants, une maison, une étreinte. Elle regretta ce temps perdu, ces années gâtées.

Ajoutant à sa détresse, l'idée d'être saisie, de subir le sort de ses parents, voire pis, la terrorisait. Elle les revit, baignant dans leur sang. Et soudain, alors même que sa gorge s'en étranglait de douleur, cela la frappa.

Cette exécution ne ressemble pas aux manières des inquisiteurs. Pas plus que cette meute lâchée sur nous.

Armand zigzaguait entre les arbres, sûr de lui quand il n'était pas du pays, quand elle avait perdu tout repère.

Il sait où il va. Comme s'il s'était préparé à devoir fuir. Pourquoi ? C'est un homme bon, juste et généreux...

Elle se souvenait même de l'avoir vu se lamenter avec eux des deuils successifs qui faisaient d'elle le dernier enfant vivant de la maison.

... Tout le monde l'apprécie à Rethel, y compris mes parents.

Un frisson courut le long de son dos en nage.

Les soldats n'ont fait qu'entrer et sortir dans la ferme. À peine le temps de les frapper. Pourtant Armand savait qu'ils le feraient puisqu'il m'a interdit d'y retourner. Il y a forcément une explication à tout ça. Mais laquelle ?

Un scintillement à travers les arbres lui révéla la présence d'un cours d'eau en travers de leur route.

Un des bras de l'Aisne ?

Lorsqu'elles ne formaient pas un lac, ces ramifications s'affinaient jusqu'à se perdre, s'infiltrer dans les sous-bois moussus. Avec un peu de chance, ils n'auraient qu'un ruisselet à enjamber.

Ce ne fut pas le cas.

Une trentaine de pas au moins séparaient les deux rives. Une fraction de seconde, elle pensa qu'Armand allait lui aussi s'affoler, remonter le cours de la rivière, chercher un pont, à défaut un passage formé par des pierres qui affleureraient, mais il n'en fut rien. Il s'élança sans hésiter dans l'eau vivifiante, s'en trouva saisi au genou, elle jusqu'en haut des cuisses. Sa robe neuve désormais chiffon se mit à peser lourdement autour d'elle. Elle dut lutter pour maintenir l'allure qu'Armand lui imposait, horrifiée à l'idée qu'ils gaspillaient leur avance sur leurs poursuivants.

Ils reprirent pied sur la terre ferme, laissèrent les taillis se refermer sur eux. L'espoir qu'ils perdraient ainsi leurs traces fut de courte durée. Déjà on criait, on rassemblait, on traversait la rivière, sans doute pour que les chiens reniflent de l'autre côté.

Flore ne savait plus que penser, qu'espérer dans cette débâcle, sinon qu'Armand saurait tenir tête à leurs ennemis au moyen de cette épée qui battait à son flanc. Elle le voulait en Lancelot[1] quand elle se demandait encore ce qui avait pu justifier qu'on la prive des siens.

Et soudain une masse de pierre et de végétation leur bloqua le passage. Des ruines, desquelles émergeait une chapelle. Le temps qu'elle cherche par où les contourner tant la forêt autour était dense, Armand fonçait vers le portail.

— Vite ! hurla-t-il.

Elle pénétra derrière lui dans la nef aux murs lézardés, l'oreille tendue vers ces hurlements qui se rapprochaient.

Pris. Nous sommes pris au piège ! comprit-elle soudain en le voyant barrer la porte, puis revenir vers elle.

Elle recula, terrifiée.

— Je vais nous sortir de là, murmura-t-il avec douceur en la saisissant aux épaules.

Cette part d'elle qui avait toujours été séduite ne demandait que cela. Mais elle ne voyait pas comment. Les chiens étaient déjà là. Elle les entendait gronder, gémir, griffer le bois.

Il se détacha d'elle, marcha d'un pas vif vers l'autel. Il s'accroupit derrière. Et soudain le miracle promis fut là. Stupéfaite, elle vit l'autel pivoter. Elle se précipita. Une volée de marches s'enfonçait sous terre. Armand en descendit quelques-unes, battit son briquet pour enflammer l'amadou d'une torche piquée au mur, puis se tourna vers elle.

1. L'un des chevaliers de la Table ronde.

Le regard en direction de la porte ébranlée par des coups sourds, elle se rongeait les ongles d'angoisse et d'impatience.

— Prends garde. Les dalles sont glissantes, s'en attendrit-il en lui tendant la main.

L'autel reprit sa place au-dessus de leurs têtes. Il était temps. Un fracas à peine assourdi par l'épaisseur du plafond leur indiqua que les hommes pénétraient dans la chapelle. De nouveau Flore entendit les chiens grogner, désorientés.

Combien de temps faudrait-il avant que leurs maîtres ne trouvent le mécanisme ?

Mieux vaut ne pas le savoir, décida-t-elle.

La torche ne tarda pas à avaler l'air rare, empuanti par des relents d'humidité.

Le bas de l'escalier atteint, ils reprirent leur course dans un couloir maçonné.

Les pensées de Flore se perdaient dans sa peur de plus en plus grande malgré la distance qu'ils regagnaient sur leurs poursuivants. Peur de se heurter finalement à un mur infranchissable, une galerie éboulée. Peur d'étouffer. Peur que la torche ne s'éteigne, les précipitant dans l'obscurité.

Ils finirent par atteindre une vaste salle carrelée, percée d'autres couloirs. Des piliers sur lesquels était gravée la croix pattée des Templiers soutenaient des voûtes en ogive.

La crypte d'une commanderie ? Si près de Rethel ? s'ahurit Flore.

Elle n'en avait jamais entendu parler.

— Un peu de courage encore. Nous serons bientôt hors de danger, assura Armand devant son souffle perdu.

Elle se contenta de hocher la tête, livide.

— Laisse-moi t'aider, insista-t-il, en la soutenant jusqu'au fond de la pièce.

Surprenant à nouveau Flore, il fit jouer une porte dérobée dans la pierre d'un mur aveugle.

— Notre salut, annonça-t-il en la laissant passer la première.

Flore lui retourna son sourire, aussi perplexe que ravie. Mais à peine le panneau fut-il revenu en place qu'un grondement sourd lui parvint.

Reprise aussitôt de terreur, elle se tétanisa.

— De l'eau ! Un déferlement d'eau ! Le mécanisme était piégé !

Armand la saisit aux épaules.

— Nous ne risquons rien, rassure-toi. C'est fini. Le cours d'une rivière souterraine va envahir la grande salle par les ouvertures que tu as vues. Elle ne tardera pas à noyer l'escalier, puis à suinter par le sol de la chapelle, autour de l'autel. On nous croira perdus alors que nous serons paisiblement occupés à quitter cet endroit. Au sec.

Pour confirmer ses dires, Armand balada la torche au ras du sol, contre la paroi. Rien ne suait.

— Allons, dit-il. Il nous reste un bon bout de chemin à parcourir avant de ressortir à l'air libre. Et je doute que tu veuilles t'attarder ici.

Il la précéda sous une voûte basse, grossièrement taillée, qui, comme la précédente, permettait à peine le passage d'un homme. Les yeux rivés sur ces épaules devant elle, sur ces croix templières qui jalonnaient leur progression, Flore ne parvint, malgré son discours, à regagner son calme.

Ses parents assassinés, cette fuite qui les avait menés à la chapelle, des passages secrets, des pièges, une crypte templière...

Elle qui adorait écouter les ménestrels chanter les aventures des chevaliers de la Table ronde aurait dû se réjouir de tant de mystère. Épuisée, martelée par le chagrin, le doute, la peur, elle ne sut que frissonner.

Qui était vraiment cet homme qu'hier encore elle pensait si bien connaître ?

9.

Paris.
Crypte de la tour du Temple.

Guillaume de La Broce était l'un des légistes de Philippe le Bel à avoir traversé le règne trop court de ses deux premiers fils, mais le seul à être toujours dans les grâces du dernier, Charles IV.

Il écrasa deux mains sur son visage, avant de frotter ses yeux fatigués par la faible luminosité. Le désavantage des prunelles bleues, se disait-il souvent pour ne pas incriminer les années. Cinquante-deux ans... D'autres du même âge étaient pourtant plus décrépits que lui, quand ils n'étaient pas déjà morts. Du haut de sa presque toise, de son torse épais sur lequel dansait une toison aussi blanche que sa barbe et ses cheveux, il en remontrait encore à de jeunes insolents. Peut-être parce qu'il avait connu ce temps où, malgré les injonctions du roi Philippe le Bel, on réglait encore ses différends du poinçon d'une lame. Peut-être parce que, à l'inverse d'un conseiller trop empressé et donc prompt à déplaire, il avait su œuvrer dans l'ombre tout en restant à sa place.

Il pinça l'espace entre ses deux yeux, battit des paupières, puis se recentra sur sa tâche.

Depuis huit années, s'échappant des arcanes du pouvoir, il se glissait discrètement dans cet endroit que seuls quelques initiés connaissaient encore. Il avait usé moult chandelles sur les archives du Temple.

Le roi Philippe le Bel avait cru toutes les saisir. Il s'était trompé.

Guillaume de La Broce plongea de nouveau son nez dans la lecture du parchemin déroulé devant lui. Rédigé par Jacques de Molay, le grand maître de l'ordre du Temple, il énumérait les reliques que ce dernier avait rapportées de Terre sainte lors de son dernier voyage. Une liste que Philippe le Bel aurait payée cher. À elle seule, elle constituait la preuve irréfutable que, le vendredi 13[1] octobre 1307, le roi de France ne s'était emparé que d'une partie des immenses richesses de l'Ordre. L'essentiel du trésor avait été déplacé avant que les Templiers ne soient arrêtés. Monnaies romaines, bijoux rutilants de pierres précieuses, dont il ne restait plus ici qu'un témoignage : une vingtaine de coffres en argent, contenant correspondance secrète, traités inavouables, livres de comptes non truqués, enluminures rares.

Les descendants de Philippe le Bel, depuis, n'aspiraient plus qu'à tout retrouver.

1. Il s'agit de l'origine de la malédiction du vendredi 13.

Guillaume de La Broce roula l'inventaire qu'il venait de parcourir, le rangea dans un cartouche de cuir et le reposa au milieu d'autres.

Il était agacé.

L'heure tournait et Charles IV ne tarderait pas à réclamer sa présence. Légiste rigoureux, il consignait tout ce dont Sa Majesté voulait traiter en Conseil. À l'inverse de certains de ses confrères, il s'y employait au mot à mot, sans tenter de rien interpréter. Une qualité qui lui avait valu de n'être mêlé à aucun des complots ayant agité le royaume ces dernières années. Grâce à cela, son secret avait été solidement gardé. Qui pouvait soupçonner à quel point il avait été proche de l'Ordre ? le rôle qu'il avait joué auprès de Jacques de Molay ?

Son poing se recroquevilla sur le parchemin qu'il tenait. Sa voix, grave, amère, ébranla la voûte :

— Lui. Je dois découvrir ce qu'il cache !

Il étira ses longues jambes, les promena entre les colonnes romaines, s'arrêta devant un parterre de mosaïques qui représentait un lion, la gueule ouverte devant un serpent dressé. L'obscurité, la profondeur de la crypte avaient su préserver la scène. Des fresques tapissaient les murs de cette demeure datant du IIIe siècle. Tout y rappelait la domination de l'empereur Aurélien sur l'Orient et l'Occident. Par endroits, la croix des Templiers s'inscrivait en faux sur des parties manquantes. Une incohérence pour les non-initiés. Mais pas pour lui. Non, lui, Guillaume de La Broce, savait. De la bouche même du dernier grand maître.

Philippe le Bel avait toujours cru que les Templiers avaient choisi un terrain au hasard, hors de l'enceinte de la cité, pour faire bâtir cette forteresse. Rien n'était plus faux. Ils avaient juste dressé des murs au-dessus de cette salle.

Guillaume de La Broce rapporta les rouleaux dans un coffre et extirpa une nouvelle liasse de manuscrits qu'il déposa soigneusement sur la table.

Son œil accrocha la scène devant laquelle Jacques de Molay l'avait dressée : le martyre de sainte Colombe.

L'œuvre majeure, immense, de la pièce souterraine. Le chemin de croix de cette jeune vierge que l'empereur Aurélien avait fini par faire décapiter.

Il reporta aussitôt son attention sur l'encre trop sèche, craquelée par endroits.

Une dizaine de minutes encore. C'est là, quelque part. Au milieu de tout ça ! s'encouragea-t-il, mais cela faisait plusieurs jours déjà qu'il s'entêtait.

Or, il lui fallait ces informations. Jacques de Molay se méfiait de cet homme. Il avait forcément mené une enquête sur lui.

C'est là, quelque part, se répéta-t-il.

Il passa d'un écrit à l'autre, de plus en plus exaspéré par ce temps perdu quand il était évident que d'heure en heure l'étau se resserrait.

Et soudain son regard s'arrêta sur une annotation en marge.

Le nom qui se détachait de la phrase en latin ramena une crispation jubilatoire sur ses lèvres.

Robert Gui.

L'inquisiteur, bientôt, n'aurait plus de secrets pour lui.

10.

Paris.
Grand béguinage royal.

En rentrant chez elle, fébrile, craignant à tout instant qu'on ne la bouscule, que son sac ne tombe, ne s'ouvre et ne dévoile son contenu aux yeux de tous, Jeanne de Dampierre avait un instant songé à déroger à la messe. Mais c'eût été attirer l'attention sur elle à l'heure où, justement, elle n'en avait pas besoin.

Elle savait pourtant qu'elle n'y serait pas à l'aise.

Comment prier, croire en son for intérieur que Dieu tout-puissant cautionnait ses actes ? S'ils avaient un sens, une légitimité, si elle était devenue l'instrument du courroux divin, il n'en restait pas moins qu'elle venait de baiser le manteau du diable et s'apprêtait à s'en couvrir.

Elle dissimula son sac sous son matelas puis redescendit en hâte l'escalier jusqu'au rez-de-chaussée. Un coup d'œil dans la cuisine puis le séjour lui confirma que Bertrade avait déjà gagné l'office. Elle traversa la cour sans plus attendre, puis pénétra dans la chapelle, dont le beffroi bourdonnait.

Bertrade se trouvait bien en compagnie des autres servantes du béguinage mais elle détourna la tête pour éviter son regard, comme si elle refusait d'être associée à ses pensées coupables.

Sont-elles inscrites à mon front ou me connaît-elle suffisamment pour avoir tout deviné ?

L'office durant, Jeanne ne réussit pas à trancher.

À la sortie, elle prit des nouvelles de chacune, y compris de la fille du fauconnier voisin qu'une charrette avait renversée et qui, depuis la veille, avait été confiée aux bons soins de leur infirmière. Jeanne ne releva rien d'inhabituel sur ces visages empreints de bonhomie. Preuve que rien ne transpirait d'elle. Qu'elle se faisait des idées.

Bertrade, elle, ne s'était pas attardée.

Jeanne la retrouva devant la table dressée. Pas un seul grognement. Juste une main tendue vers son écuelle pour la lui emplir de pois frais.

Jeanne sentit son cœur se piquer. Si elle vivait dans le silence de cette femme depuis vingt-sept ans, c'était la première fois qu'il lui semblait si éloquent, si désapprobateur et inquiet.

Elle aurait voulu la rassurer, mais qu'aurait-elle pu lui opposer ? Elle n'était ni fière ni heureuse de ce qu'elle entendait déclencher.

Elles mangèrent face à face. Comme autrefois, lorsqu'elle s'apprêtait à défier l'autorité de son père, Jeanne garda le front baissé sur sa détermination, jusqu'à ce que, la table débarrassée, les écuelles brossées et la maison bouclée sur le crépuscule, Bertrade soulève le chaton et l'emporte d'un pas lourd vers l'escalier.

— Bonne nuit, murmura enfin Jeanne.

Un soupir résigné lui répondit, qui lui poignarda plus encore le cœur.

Elle attendit que Bertrade eût refermé sa porte avant, à son tour, de gagner sa chambre, de la verrouiller et de récupérer ce qu'elle avait acheté auprès du mage.

Il n'est pas trop tard pour renoncer, lui susurra sa conscience.

Assez, la repoussa-t-elle. *Le roi doit mourir. Comme ses prédécesseurs. Que tu le veuilles ou non.*

Lors, elle s'emplit de ce courage que Bertrade avait tenté à sa manière de lui ôter, et entreprit de constituer des petits tas de sel aux quatre coins de la pièce. Ensuite de quoi elle se dévêtit, composa un cercle autour d'elle avec de la poudre d'encens et alluma une chandelle dont, très vite, l'odeur piquante indiqua qu'elle avait été traitée à des fins démoniaques.

Elle s'était attendue à lire sur les sachets, les flacons, ces noms effrayants, synonymes d'envoûtement : poudres de serpent, de crapaud pilé, de salamandre, langue de pendu ou de chat noir, excréments de chauve-souris... mais elle les trouva sans étiquette. Juste numérotés de un à quatre dans l'ordre où elle devait les employer.

Elle s'installa en tailleur et glissa entre ses jambes un mortier de bois noir. Lorsque le mélange devint liquide sous son pilon, elle forma une poupée de cire à l'effigie du roi, puis la plongea dedans.

Une vapeur verdâtre, nauséabonde finit par lui remonter aux narines, lui piquant les yeux, l'obligeant à rabattre les paupières.

Elle se focalisa sur les traits de son amant.

— Charles, quatrième du nom, je t'ordonne de ne plus jamais en désirer, en aimer une autre que moi. Je t'ordonne de te lever chaque matin avec au cœur cette pointe, douloureuse, du manque que j'y inscrirai. Je t'ordonne de souffrir chaque instant, de jour en jour, d'heure en heure davantage, jusqu'à ce que cette douleur te devienne insupportable, et que ton cœur s'arrête, définitivement, dans ta poitrine.

Un crépitement la força à ouvrir les yeux. Un charbon, froid, venait de s'embraser dans la cheminée qui lui faisait face. Elle le regarda dessiner des silhouettes grimaçantes dans la pièce tandis que la bougie tendait vers lui une fumée noire. Puis tout s'éteignit. Bien qu'avertie des forces occultes qu'elle venait d'invoquer, elle ne put s'empêcher de frissonner. Elle déposa son ouvrage sur le rebord de la fenêtre ouverte, caressée par un rayon de lune. Un air chaud lui apporta des effluves discrets de menthe.

Tandis que le mélange infusait, elle enfila des vêtements d'homme, fit jouer un tiroir secret dans une écritoire, puis en ramena une plume de colombe. À l'instant de refermer, son œil s'attarda sur le parchemin qui se trouvait dessous. Elle hésita, s'en saisit, s'appesantit sur l'écriture fine qui le recouvrait.

Plusieurs noms avaient été rayés, suivis d'une date et d'une croix. Elle les énuméra à haute voix :

— Clément V[1], 20 avril 1314; Guillaume Humbert de Paris[2], 12 juillet 1314; Philippe le Bel[3], 29 novembre 1314; Louis X le Hutin[4], 5 juin 1316; Jean Ier le Posthume[5], 19 novembre 1316; Philippe[6], 12 février 1317; Philippe V le Long[7], 3 janvier 1322.

Charles IV[8].

C'était le seul qui n'avait pas été barré.

Le souvenir de leur rencontre explosa dans sa mémoire.

Elle avait dix-neuf ans et l'homme qu'elle était censée épouser venait de mourir. Sa famille s'était installée à Paris, dans l'espoir de lui trouver au plus vite un nouveau mari. Elle se revit parcourir la galerie mercière du palais de la Cité, prêtant sourire aux intéressés, n'éprouvant pas davantage d'attrait pour l'un que pour l'autre. Jusqu'à ce que, laissant ses parents négocier avec les proches du roi, elle aperçoive Charles qui entrait dans les appartements royaux. Il émanait de lui quelque

---

1. Le pape qui a accepté l'enquête puis la dissolution de l'ordre du Temple.
2. Guillaume Humbert, dit Guillaume de Paris, instruisit les procès des Templiers auprès de Guillaume de Nogaret et de Nicolas de Lyre. En 1309, il fut nommé coadjuteur de l'évêque de Sens puis inquisiteur général du royaume de France. Il disparut en 1314, après la mort de Jacques de Molay.
3. Roi de France, surnommé le roi de fer. Il a décidé de la fin de l'ordre du Temple.
4. Premier fils de Philippe le Bel.
5. Fils de Louis X le Hutin, mort à l'âge de quatre jours.
6. Fils de Philippe V le Long, mort à l'âge de sept mois.
7. Second fils de Philippe le Bel.
8. Troisième et dernier fils de Philippe le Bel.

chose de pathétique et de puissant à la fois. Une beauté vaincue par la trahison de son épouse. Depuis plusieurs semaines, celle-ci était emprisonnée au même titre que ses belles-sœurs dont elle avait couvert l'adultère. Un scandale qui avait ébranlé le royaume. Jeanne l'avait suivi, sans même s'en rendre compte. Qu'espérait-elle ? Elle l'ignorait. Elle n'avait aucun droit d'entrer là, seule, chez lui. Il l'avait aperçue et, l'instant de surprise passé, avait foncé sur elle. Elle n'avait pas su le repousser. Le lendemain, il s'était annoncé chez eux, rive droite. Il avait exigé qu'elle entre en béguinage. Aussi stupéfaite que bouleversée, Jeanne avait vu son père se dresser comme un ours avant de capituler. Charles entendait bien répandre le bruit de son dépucelage s'il n'obtenait de pouvoir jouir d'elle à sa convenance. Entre le déshonneur et la protection royale, sa famille avait tranché. Durant quelques mois, elle avait haï ce prince qui lui avait ôté tout espoir de fonder une famille. Puis elle s'était rendu compte que derrière ce geste se cachait un homme qui n'avait pas voulu la perdre. Un homme qui s'était sincèrement épris d'elle au fil du temps, au point de lui dévoiler ses failles, ses peurs, ses doutes, faisant d'elle, sans qu'il s'en rende compte, la personne la mieux informée du royaume. Et aujourd'hui la plus puissante.

Elle remit le feuillet en place, revint à la fenêtre. Le mélange était devenu inodore et translucide. La poupée avait disparu, pourtant rien n'indiquait qu'elle ait fondu.

Jeanne eut l'impression qu'une ombre voletait autour d'elle lorsqu'elle rabattit la croisée. Une ombre maléfique que la présence du sel chassa par le conduit de cheminée, non sans, au passage, faire à nouveau crépiter le brandon. Elle trempa la plume de colombe dans la mixture, puis la rangea dans une aumônière que le roi lui avait offerte, garantie que le sortilège s'attacherait bien à lui.

Ne réfléchis pas. Ne réfléchis plus. Fais ce que tu dois, s'encouragea-t-elle en agrafant le fermail[1] de son aumônière.

Mais à cet instant, elle eut le sentiment qu'en scellant le sort de Charles, c'était une part d'elle qu'elle assassinait. Refusant de s'en laisser perturber, elle descendit l'escalier.

Si, à cette heure, Paris était bouclé, Jeanne savait comment en sortir discrètement. L'enceinte de Philippe Auguste avait coupé en deux le bourg Saint-Paul, avalant de fait une ancienne poterne. Elle existait toujours, bien qu'inusitée, et se trouvait dans une des tours d'angle[2] du rempart de la cité, que le principal bâtiment du béguinage s'était approprié. Le réfectoire était désert lorsqu'elle s'y glissa. Seuls quelques ronflements en provenance de l'étage lui parvinrent.

Jeanne traversa la pièce, puis entra dans le cellier.

Elle n'eut qu'à pousser une petite étagère puis à ôter deux barres transversales pour franchir, courbée, le passage aussi bas qu'étroit.

1. Attache de sac, de manteau.
2. Tour droite de la poterne Saint-Paul.

Elle se retrouva de l'autre côté. Du fleuve voisin transpiraient quelques vapeurs à fleur de cheville, des odeurs de vase, des clapotis.

Elle s'en éloigna pour rejoindre les écuries fortifiées d'un marchand de chevaux dont elle avait déjà eu à louer la discrétion et les services.

Lorsqu'elle entreprit de contourner Paris pour rejoindre la route de Pontoise, tout dans la campagne environnante était paisible et silencieux.

Seuls les battements sourds de son cœur accordés au rythme fou des sabots troublaient le silence.

11.

Ardennes.

Village à quelques lieues de Rethel.

Malgré la tiédeur de l'air, Flore grelottait. Conséquence de son état de nerfs et de fatigue. Le sentier qu'ils avaient emprunté en sortant de l'église baignait dans une obscurité trouée de temps en temps par l'œil rond et voilé de la lune.

On racontait que lorsqu'elle était pleine, des sorcières se réunissaient au plus secret des futaies, appelant les démons, fourbissant des sortilèges. Elle n'avait jamais eu peur d'elles. Ni de l'Inquisition. Avant aujourd'hui. La seule idée qu'on puisse l'imaginer faisant partie de ce cercle démoniaque l'accablait. Pour ajouter à son angoisse, Armand avait refusé d'allumer à nouveau sa torche. À cette heure, au milieu de nulle part, c'eût été folie de signaler leur présence. Même si la menace de l'Inquisition était écartée, il n'en restait pas moins celle des brigands.

— Je connais ce chemin. Je l'ai parcouru suffisamment de fois au cours de ces dernières années pour me diriger à l'aveugle. Marche à mes côtés, le plus silencieusement possible, lui avait rétorqué Armand pour faire taire ses réticences.

Ou mes interrogations ? s'était-elle demandé avant de le rejoindre.

Depuis, elle tentait de suivre son rythme, l'œil rivé à cette silhouette devant elle pour ne pas laisser son esprit divaguer sur les ombres mouvantes, les bruissements furtifs. Elle avait toujours vu la forêt en amie. Cette nuit elle la détestait.

Elle buta sur un caillou, retint un cri de douleur. À la pression des lacets autour de ses chausses, elle devinait sans peine que ses chevilles étaient gonflées.

Elle soupira dans son dos, si désespérément qu'il pivota vers elle.

— Pardon. J'ai froid. Faim. Soif. Je suis…

— À bout de courage, oui, je sais, termina-t-il pour elle. Rassure-toi. Un de mes amis habite à moins d'une lieue. Nous y serons en sécurité.

Il détacha son manteau pour lui en recouvrir les épaules. La délicatesse de son geste la toucha. Elle retint sa main, tenta de deviner ces traits que la pénombre lui volait.

Aurait-elle meilleure occasion ?

— J'ai besoin de savoir, Armand. Qu'est-il vraiment arrivé à mes parents ? Et vous, qui êtes-vous en réalité ? Vous vous prétendez mon sauveur, mais…

En un instant, il fut sur elle. Elle se retrouva bâillonnée par une main impérieuse, le cœur martelant sa poitrine.

Elle aussi l'avait perçu, ce bruit sourd qui venait de retentir dans les fourrés.

Elle entendit le glissement du fer près d'elle, comprit qu'il avait sorti son épée du fourreau. De l'autre main, il l'écarta, sans un mot.

Reprise par l'angoisse, n'espérant plus de réponse, elle hâta le pas, le souffle court.

Il la rattrapa au bout de quelques secondes, tandis qu'éclatait derrière eux le grognement d'un sanglier.

Flore eût dû s'en sentir soulagée, mais une autre idée, folle, incohérente, frappa son esprit malmené par les événements.

L'animal, qu'on assurait abriter le diable les nuits de pleine lune, avait surgi fort à propos. Pour l'empêcher de savoir ? ou permettre à Armand de se défiler ?

Elle poursuivit sa route sans plus se plaindre. Si bien que, lorsque, au détour d'une enfilade de champs, un village se découpa sous la lune, elle ne songea plus qu'à se mettre à couvert, de crainte qu'un autre animal ne surgisse des enfers pour l'entraîner.

Comme pour la conforter dans sa crainte, la grand-rue tout comme la place dans laquelle ils débouchèrent se révélèrent vides, terrain de chasse des chats et des chiens errants qui hérissèrent poils et crocs sous la lumière blafarde.

Instinctivement elle se rapprocha d'Armand.

Ils tournèrent l'angle d'une ruelle, firent quelques pas encore avant d'atteindre un portail au-dessus duquel Flore jura reconnaître à nouveau la croix du Temple.

Mais elle n'eut cette fois plus la force de s'en étonner.

Armand souleva le marteau, donna une dizaine de coups puis attendit, la forçant à faire de même, recluse dans l'ombre qui avalait l'enceinte.

Une lumière ne tarda pas à se déplacer dans la cour, le portail à s'écarter sur un homme d'une quarantaine d'années.

Il releva sa lanterne.

— Armand… Entre ! lança-t-il d'un ton qui sembla à Flore soulagé.

— Voici Flore, fut-elle présentée une fois le panneau refermé sur une cour intérieure.

— Sois la bienvenue dans ma modeste demeure, la salua le tailleur de pierre.

Pas si modeste que ça, comprit Flore en entendant piaffer un cheval dans ce qui devait être une écurie.

L'intérieur de la bâtisse ne démentit pas son sentiment. La salle de vie était vaste, meublée avec goût de plusieurs armoires, d'une table, de bancs. Quelques chandeliers d'argent ajoutaient un aspect cossu aux meubles cirés. De toute évidence, l'homme était de bonne réputation et travaillait pour la noblesse. Il était rare que les tailleurs de pierre ne soient pas itinérants.

Flore ne put s'empêcher de le faire remarquer à peine lui eût-il servi un verre d'hydromel.

Le prénommé Benoît arborait un sourire franc dans le collier de sa barbe, des yeux gris expressifs, des oreilles décollées et une tignasse qui, à la lueur de la chandelle, prenait des reflets d'ambre.

— Je l'ai été, fort longtemps, dans le sillage de mon père. Cette maison fut la sienne et traduit la valeur de sa notoriété. Je ne peux, hélas, me vanter d'une telle renommée. Je ne suis plus que carrier désormais, et taille sur site, me contentant de préserver l'héritage familial. J'espérais le transmettre. Hélas, ma femme et mon fils ont été emportés tous deux par la maladie il y a deux années.

— Comme beaucoup dans le comté. J'ai perdu un frère et une sœur moi aussi à cette époque, confia Flore que cette image venait de transpercer, ravivant d'autant son chagrin.

Elle baissa les yeux pour qu'il ne voie pas à quel point elle en était emportée.

— Allons, vous devez être affamés. Il me reste du lapin à l'aïllet et du lait de brebis caillé. Attablez-vous, les invita-t-il simplement avant de désigner une porte près de Flore. Derrière se trouve une paillasse. Point de manières, demoiselle. Quittez la table quand vous le voudrez.

Elle, dont le ventre gargouillait sur le chemin, grignota à peine lorsque arriva le pot sur la table. Armand et Benoît échangeaient des souvenirs du temps, pas si lointain, où ils cheminaient ensemble de ville en ville, mais elle ne parvint pas à s'en imprégner. Elle était parvenue à la limite de sa résistance.

Elle s'excusa, se leva, puis se glissa dans la pièce voisine, en répondant à leur « bonne nuit » par un « merci » étranglé. Elle s'étendit sur le drap, la mâchoire décrochée par un nouveau bâillement, et façonna l'oreiller d'une main molle, l'esprit douloureusement tourné vers ses parents, vers Gabriel.

Est-il mort lui aussi ? arrêté ?

Elle s'était emportée contre lui, mais à défaut d'amour, l'affection qu'elle éprouvait à son égard était profonde.

Un sanglot s'étouffa dans sa gorge. Elle ne parvenait à croire que ce soit réel, que c'en était terminé de sa famille, de ses amis, de sa vie.

Gabriel sait-il que j'ai échappé aux soldats ? que c'est après moi qu'ils en avaient ? Quoi qu'en pense Armand, il faudra que je vérifie qu'il en a réchappé, que je l'avertisse que je suis hors de danger.

Elle sombra sur cette dernière pensée.

12.

Abbaye de Maubuisson, près de Pontoise.

Jeanne de Dampierre immobilisa son cheval sous un chêne centenaire. L'idée de le laisser dans cette clairière, à la merci des loups, la dérangea. Mais elle ne pouvait s'approcher davantage sans risquer d'être repérée par l'un des guetteurs du chemin de ronde. Voire que l'un d'eux n'entende sa monture s'affoler en cas d'attaque. Un regard autour d'elle ne lui révéla que l'ombre d'une forêt dense. Aucun bruit inhabituel ne la perçait.

Rassurée, elle traversa la futaie par le petit sentier qu'elle avait repéré quelques jours plus tôt.

Depuis que Blanche de Castille avait fait bâtir l'abbaye de Maubuisson, celle-ci exerçait une sorte de fascination sur les Capétiens. C'était dans le secret de sa salle capitulaire que Philippe le Bel avait décidé de l'arrestation des Templiers en 1307, de la mise à mort des amants de ses brus en 1314 et, dans la foulée, de l'emprisonnement de ces trois dernières.

Toutes les décisions importantes se prenaient ici, à une volée d'oiseau de Pontoise.

Jeanne savait que Charles ne dérogeait pas à cette tradition. Il aimait cette résidence royale que protégeait l'enclos, ce parc, immense, cette paix que les chants liturgiques et le labeur journalier des cisterciennes rythmaient. À l'inverse, il exécrait le Louvre, trop froid, et à peine moins le vieux palais de la Cité. Trop de gens y circulaient, jusqu'aux portes de ses appartements devant lesquelles devaient dormir ses chambellans. Qu'ils soient financiers, légistes, curieux, conseillers, camelots, artisans, voire même des provinciaux de passage[1], Charles ne voulait voir personne quand il était perturbé. Or, elle avait pu en juger par elle-même, il l'était par la seule idée de devoir en épouser une autre.

Tout en écartant une branche basse pour se faufiler dessous, elle ne put retenir un sourire triste.

Somme toute, la décision qu'il prendrait au petit jour lui facilitait les choses.

Agile, elle contourna un bosquet d'aubépines. Le rempart nord du château lui apparut.

La clarté lunaire dessina la ligne altière des tourelles, la poterne dont elle avait pris soin, quatre jours auparavant, de prendre l'empreinte de serrure. L'endroit était peu surveillé, elle l'avait vérifié. Aucune route n'y

1. Le palais de la Cité était ouvert à tous. N'importe quel curieux pouvait déambuler dans les cours, les chapelles, les salles de la chancellerie, des comptes, du parlement. Le roi croisait aussi bien des gueux que des bourgeois ou des nobles jusqu'en la galerie mercière qui reliait son logis à la Sainte-Chapelle.

menait. Seuls les veneurs empruntaient ce passage au milieu des champs, pour, de suite, se retrouver sous les futaies. Elle déverrouilla le battant, se glissa à l'intérieur de l'enceinte et se dirigea vers la tour principale.

Un lierre en montait à l'assaut, vertigineuse branche qui s'agrippait férocement aux moellons. Elle cracha dans ses mains pour assurer sa prise, cala la pointe de son soulier dans une anfractuosité du mur puis commença à grimper en évitant soigneusement de regarder en dessous d'elle.

Elle parvint sans encombre à la fenêtre, prit appui sur un pied avant de se laisser glisser dans la chambre, le souffle retenu.

Charles ronflait puissamment.

Elle écarta juste assez le rideau pour qu'un rai de lune éclaire discrètement l'intérieur de la pièce.

Le roi n'avait pas fermé le baldaquin. Une jambe, de même qu'une épaule, en débordait. La profondeur de son sommeil lui écrasait la joue et la commissure des lèvres sur l'oreiller.

À l'instant pourtant où elle se pencha sur lui, il gémit. Elle se rejeta, aussitôt alertée, dans l'ombre.

Aurait-il perçu mon parfum ?

Elle attendit que sa respiration soit de nouveau régulière avant de revenir.

Elle se pensait calme, résolue. Le tremblement de ses doigts l'en détrompa.

Allons, ce n'est pas comme si tu l'étouffais dans son sommeil. Il vivra encore demain, et après-demain, et jusqu'à ce que tu choisisses de disparaître de sa vie.

Mais il lui fallut dégrafer l'aumônière de sa ceinture pour pouvoir l'ouvrir. Elle en retira la plume et la déposa précautionneusement à côté des narines frémissantes. Elle recula aussitôt jusqu'à la fenêtre. Charles n'avait pas bougé. Sa respiration régulière soulevait délicatement le duvet sans l'emporter. Soulagée, elle rattacha fébrilement l'aumônière à sa ceinture puis rebroussa chemin. L'envie de filer au plus vite lui fit sauter au sol un quart de toise avant de l'avoir touché.

— Eh ! qui va là ? entendit-elle en se recevant sur ses pieds, nez à nez avec un homme aussi saisi qu'elle.

À l'odeur d'urine, elle comprit qu'elle l'avait surpris en plein soulagement.

Elle recula, le vit écarquiller plus encore les yeux, se sentit agrippée à la taille. Jeanne ne réfléchit pas. Poussée par son instinct, elle dégaina sa lame et la lui enfonça dans la poitrine.

Il eut un hoquet, s'affaissa sur lui-même avant d'avoir seulement pu appeler à la rescousse.

Craignant qu'un autre ne survienne, Jeanne se précipita, affolée, vers la porte. Elle l'ouvrit à la volée et traversa le champ qui la séparait du bois aussi vite que ses jambes flageolantes purent la porter.

Elle sautait en selle quand résonna la cloche d'alerte.

Elle talonna aussitôt sa monture. Elle n'avait jamais imaginé devoir tuer de sang-froid. Encore moins en être capable.

Sous le choc, tremblant de tous ses membres, elle s'arracha de la forêt pour rejoindre la grand-route.

Une seule idée en tête.

Ne pas se faire prendre.

13.

Ardennes.

Village à quelques lieues de Rethel.

Flore courait, courait à perdre haleine dans une forêt tapissée d'ombres diaboliques dont les silhouettes ressemblaient à cette tache de naissance sur son ventre. Elles ricanaient, l'évitaient, lui tournaient autour, la transperçaient, telles des chauves-souris jaillies d'une grotte pour l'agripper, la repousser, l'emporter. Flore avait beau hurler, appeler Armand, son père, sa mère, Gabriel, rien n'y faisait. Les démons la forçaient à aller de l'avant dans une course sans fin, la désespérant, déchiquetant ses vêtements comme autant de ronces, de lames, de piques acérées. Elle cherchait une lumière qu'elle ne trouvait nulle part, ni dans le ciel ni sur terre. Même son cœur lui semblait s'obscurcir de seconde en seconde, empesé par un sang de plus en plus noir et épais.

Paniquée, à bout de forces, elle s'arracha du sommeil en sursaut, la gorge brûlante d'avoir hurlé dans ses songes, les yeux irrités à force d'avoir pleuré.

Elle resta assise, fixant un rectangle de poussière dansante. Le temps de remettre ses idées en ordre. Par la porte, légèrement entrouverte, s'infiltrait le halo discret de la bougie placée entre les deux hommes sur la table. À leurs échanges assourdis, elle comprit qu'ils devaient s'y trouver encore.

Elle passa une main moite dans ses cheveux bruns dont la coiffe était perdue depuis longtemps, attendit que les battements de son cœur recouvrent un rythme plus régulier puis se leva.

À l'instant d'écarter le battant, elle s'immobilisa pourtant. Son prénom venait de franchir l'espace, comme un appel à ces réponses qu'elle avait tant espérées. Elle colla son œil contre l'interstice, vit Armand, de profil, reposer un godet de vin sur la table. Combien en avait-il portés à ses lèvres ? Les siennes lui semblèrent plus sèches encore.

— Quand comptes-tu lui dire pour les Dupin ? demanda le tailleur de pierre.

Flore retint son souffle.

— Quand nous serons en Angleterre. Avant, cela aurait trop de conséquences.

— Tu crains qu'elle refuse de te suivre…

Elle vit les mâchoires d'Armand se contracter, sa main broyer la timbale.

— Ce n'est pas à toi que j'apprendrai à quel point nous sommes prisonniers de nos choix. Je n'en avais pas d'autre. Je n'en aurai pas d'autre. Elle embarquera. De gré ou de force.

Flore porta les mains à sa bouche pour étouffer un cri. Les traits d'Armand lui parurent durs, son regard amer.

Où était l'homme dont elle avait rêvé en secret ? Il lui sembla soudain ne voir que cette tache d'un rouge plus sombre sur sa manche.

Était-elle due à une égratignure dans la forêt, ou provenait-elle du sang qu'il avait versé ? Le sang de sa famille ?

Le doute lui explosa au cœur.

Armand. Meurtrier des miens ?

Elle recula, terrorisée par l'idée que ce fût vrai, terrorisée par l'idée d'être à sa merci.

— Mieux vaut la laisser dormir son soûl, suggérait Benoît dans l'autre pièce.

Elle entendit le raclement des bancs au sol. Fut prise de panique à l'idée qu'Armand vienne s'étendre près d'elle.

— Partager ta couche me rappellera l'heureux temps de nos campagnes, approuva Armand.

À peine soulagée, elle entendit leurs pas s'éloigner.

M'échapper. Je dois m'échapper. Avant qu'il ne me contraigne à quitter ce pays, et ce quelles qu'en soient les raisons. Mais où ? Auprès de qui ? Gabriel...

Malgré ses manières bourrues, malgré l'incident de tantôt, elle avait confiance en lui. Il ne ferait rien qui puisse lui nuire. Mais comment être certaine que les soldats ne l'attendaient pas au moulin ? qu'elle ne se heurterait pas de nouveau à des cadavres ?

La comtesse. Elle a toujours été bonne envers ma famille. Elle saura me protéger.

Elle se précipita à la fenêtre qui faisait face au lit, l'ouvrit discrètement, enjamba le montant et retomba dans la cour. La lune semblait la narguer au-dessus de sa tête, alors même que les graviers crissaient sous ses pas. Elle lança un regard en arrière. Vit trembler la lanterne à l'étage. Le souffle court, la terreur au ventre, elle rasa les murs pour gagner le portail, commença par le déverrouiller, puis se faufila jusqu'aux écuries. Refusant de perdre un temps précieux à s'emparer d'une selle et à l'attacher, elle approcha un marchepied et se hissa sur le dos d'un des chevaux. Elle traversa la cour au pas, courbée sur son encolure, en priant de toutes ses forces pour qu'aucun des deux hommes ne la voie ou n'entende le bruit des sabots.

Rien ne bougea.

Lors, la rue enfin atteinte, elle s'élança dans la nuit en direction de Rethel.

14.

Ardennes.
Château de Rethel.

Trois coups sonnèrent au beffroi de Rethel. Le souffle court, la comtesse s'arracha à la somnolence qui avait fini par l'emporter. Comme toujours en pareille circonstance, un élan douloureux frappa ses tempes, irradiant jusqu'à l'arrière de son crâne. Pendant quelques minutes, elle resta sans bouger dans sa couche, s'attendant que le néant l'aspire, l'espérant presque. Mais il n'en fut rien.

Près d'elle son époux ronflait. Expirations brèves, saccadées. Preuve, pour elle qui le connaissait bien, qu'il avait lui aussi le sommeil agité. Elle hésita quelques secondes. Ne risquait-elle pas de le réveiller si elle se levait ? La pesanteur de ses jambes contrastait avec la finesse de ses mollets. Elle éprouva le besoin de marteler le sol, aussi discrètement que possible, pour chasser cette impression de fourmillement qui s'y était installée. Cela lui arrivait souvent. Aux pieds, aux mains. Comme si son esprit ne voulait plus seulement se perdre dans les limbes, mais désorganiser son corps qui aurait voulu les fuir.

Elle rejeta délicatement le drap. La chaleur s'était accumulée durant la journée, perçant l'épaisseur des murs. Elle se dirigea vers la fenêtre qui donnait à l'est, repoussa les volets intérieurs puis, après un regard en direction du lit, déverrouilla le pêne.

Un air lourd, chargé de parfums de chèvrefeuille et de résineux lui chatouilla aussitôt le visage. Elle ne pouvait pas voir la rivière. L'Aisne coulait au pied de la colline sur laquelle le château était implanté, mais son bruissement familier lui parvenait, ponctué de loin en loin par le chant des reinettes et le brame d'un cerf dans la forêt environnante. Son regard s'attarda vers l'horizon, emprisonné dans le halo vaporeux de la pleine lune. Comme toujours en cette saison, la brume affleurait la cime des arbres, produit de la fraîcheur de l'onde qui traversait le val et de la chaleur estivale. Elle s'évanouissait dès les premiers rayons du soleil. Pour l'heure, tout semblait fondu, noyé dans des nuances blafardes. Fantomatiques.

La nuit rêvée pour disparaître, songea-t-elle.

De nouveau le visage rieur de Flore Dupin dansa devant ses yeux. Elle s'accouda à la croisée, laissa sa migraine s'évanouir sous la rosée.

Les soldats étaient repassés peu avant la tombée de la nuit pour annoncer que la fille de leur métayer avait sûrement péri noyée avec l'homme qui l'avait aidée. Depuis le haut de l'escalier où elle s'était réfugiée, elle avait senti son cœur s'arrêter un instant dans sa poitrine. Elle s'était agenouillée entre les barreaux, avait réussi à apercevoir l'inquisiteur, droit comme un if, le front plissé. De toute évidence, à l'inverse des hommes qu'on lui avait alloués, il n'était pas convaincu par cette noyade opportune.

Elle l'avait entendu s'étonner qu'un simple rémouleur connaisse si bien les secrets d'une vieille chapelle.

Louis était resté de marbre :

— Si vous voulez des renseignements sur cet homme, c'est auprès de mes cuisiniers ou des gens du village dont il affûtait les couteaux qu'il vous faut les chercher. Moi, je ne lui ai jamais adressé la parole.

— Votre épouse peut-être ? avait insisté l'inquisiteur en levant les yeux vers l'escalier où elle s'était dissimulée.

Il ne pouvait l'apercevoir, mais elle s'était tassée sur elle-même.

Ce réflexe agaçant l'avait poussée à se reprendre, à retrouver cette époque où elle était forte, puissante. D'autant que, une fois de plus, pour la protéger, Louis avait fait barrage, le visage aussi dur que ses poings, crispés.

— Ma femme est de santé fragile. À pareille heure, elle dort. Et je l'aurais déjà rejointe dans la couche, si je n'avais craint que l'on mette encore mes terres à feu et à sang.

La comtesse les avait vus s'affronter du regard quelques instants, puis l'inquisiteur était reparti avec sa garde, un sourire énigmatique aux lèvres.

Depuis, elle ne pouvait s'empêcher de le deviner, embusqué aux alentours. Déterminé à la vérité.

Avec trop d'insistance, frémit-elle avant de se faire violence.

Qu'aurait-il pu découvrir que son époux lui-même n'avait jamais su ?

Et pourtant. Il semble si sûr de lui…

De nouveau, elle frissonna, rentra le cou dans les épaules comme un escargot dans sa coquille.

Tant d'années s'étaient écoulées. Tant de faux espoirs, tant d'erreurs et de drames.

Et maintenant Flore.

Flore qu'elle avait promis de protéger.

Comment ai-je pu croire un seul instant qu'on ne la retrouverait jamais ?

La culpabilité lui fit presser les mains sur sa poitrine, se pencher en avant, défier le vide.

Tomber maintenant. M'écraser sur la roche en contrebas. En terminer.

Un instant elle espéra en être capable. Mais c'eût été fuir à l'heure où tout la rattrapait. Se priver du dernier sursaut de sa dignité.

Elle se redressa, tendit ses prunelles grises vers les cieux.

— Punissez-moi, seigneur, parce que j'ai péché, murmura-t-elle.

Mais seule une chouette, tapie au-dessus d'elle, sous la charpente, répondit à son imploration. D'un hululement qui lui glaça le sang.

Elle se rabattit aussitôt en arrière et referma la croisée.

15.

Ardennes.

Ville de Rethel.

Les sombres pensées de Flore avaient cavalé avec elle. Chassant ses larmes au vent discret de cette mi-juillet, elle se sentait plus perdue et vulnérable que jamais. L'idée, même saugrenue, même inconcevable, qu'Armand ait pu tuer ses parents lui donnait la nausée. Plus elle réfléchissait, moins elle comprenait pourquoi il voulait l'emmener en Angleterre. Qu'avait-elle de si particulier pour qu'on assassine sa famille, pour que le roi et l'Inquisition veuillent eux aussi la contraindre ? Que possédait-elle sinon cette affreuse et large tache autour du nombril ? s'était-elle répété en boucle sans obtenir de réponse.

Très vite, avalant le chemin à en chasser les cailloux sur les bas-côtés, elle avait résolu de ne s'attacher qu'à cette ligne, éclairée par la pleine lune, qui sinuait entre les arbres et les champs.

Elle déboucha enfin sur la rivière, fut tentée, l'espace d'une seconde, d'obliquer en direction du moulin dont l'ombre mouvante des ailes se détachait sur la colline voisine. Mais la perspective de trouver Gabriel et ses parents morts, eux aussi, lui fut insupportable. Mieux valait qu'elle garde son cap. La comtesse seule représentait son salut. Elle lui demanderait des nouvelles des meuniers, saurait ainsi à quoi s'attendre, et, s'ils étaient saufs, pourrait les faire prévenir par l'une des servantes du château.

Elle talonna sa monture jusqu'à ce que ce dernier soit enfin en vue sur son promontoire. Aucune lumière à ses fenêtres. Pas davantage de lueurs dans la cité sinon aux remparts et à la barbacane. Tout respirait le calme. Elle longea l'Aisne jusqu'à pouvoir sauter par-dessus l'un des ruisseaux qui s'en échappaient et rejoindre la route de Reims. Ensuite elle obliqua sur sa droite et revint vers la cité. Il n'existait pas d'autre passage que le pont couvert et gardé pour y entrer.

— Holà ! entendit-elle en voyant un hallebardier lui en barrer l'accès.

Elle reconnut aussitôt la voix.

— C'est moi, Vincent. C'est Flore.

L'homme s'étrangla.

— Flore ?

Il se précipita sur elle, arme tombée, releva sa lanterne.

— Sang Dieu de sang sacré, c'est bien toi ! On a entendu le pire à ton sujet après la mort de tes parents. Que t'avais fui avec l'Armand, que t'étais noyée... Content qu'on se soit trompé ! Même si t'as pas bonne mine, ma pauvrette, ajouta-t-il avec une moue attristée.

— Justement. Je dois voir la comtesse. Maintenant. Tu peux me laisser entrer dans la cité ?

Il haussa les épaules, preuve qu'il accordait plus de foi à elle qu'il connaissait depuis l'enfance qu'aux ragots d'une bande de soldats.

— Et pourquoi je pourrais pas ? Fais juste attention. Je viens à peine de prendre ma garde donc je sais pas trop où l'inquisiteur et ses hommes se sont posés.

Elle sentit un frisson la gagner. Ne se jetait-elle pas dans la gueule du loup ?

Trop tard pour reculer.

D'un hochement de tête, elle remercia Vincent qui s'écartait et enquilla le pont de pierre. Trois discrets coups de cor, signal habituel, annoncèrent son arrivée à la grille. Elle entendit la chaîne remonter, passa devant un garde qui bâillait, puis s'enfonça dans la ville endormie.

Elle contournait le coin d'une ruelle pour enfin grimper le sentier qui menait au château lorsqu'un cordon de soldats armés se déplia, lui barrant le passage. Sans même qu'elle en prenne conscience, son esprit, affûté par les événements précédents, chercha une issue. Il la trouva en la présence d'une ruelle transversale, dont elle savait qu'un muret bas en fermait le bout.

Avec un peu d'élan..., lui souffla son instinct.

Agrippée à sa monture, elle l'obligea à se cabrer devant les piques, forçant les gardes de l'inquisiteur à reculer assez pour lui permettre sa manœuvre.

— Ne la laissez pas filer ! entendit-elle en empruntant la venelle.

Saute, saute ! pria-t-elle, craignant soudain que la jument ne s'immobilise devant l'obstacle.

Il n'en fut rien. L'animal s'éleva dans les airs, retomba lourdement de l'autre côté, manquant la jeter à bas. Elle se rétablit de justesse sur la croupe, traversa au galop un potager.

Leur échapper. Coûte que coûte !

Son espoir se fracassa contre le mur d'une habitation voisine. Le jardin était clos.

Affolée, cherchant une issue que rien ne lui permettait plus d'attendre, elle se retrouva acculée, pointée cette fois par des arcs bandés.

Deux hommes sautèrent à bas de leur selle. Le premier s'empara de la longe pour immobiliser sa jument qui renâclait, écume en bouche, le second l'arracha à son assise et lui écrasa la face contre le mur.

— Tu nous auras donné du fil à retordre, la Dupin ! grinça-t-il en lui bloquant les mains.

Une nouvelle cavalcade acheva de la désespérer, alors même qu'elle entrevoyait, à quelques pouces d'elle, une trouée dans le mur assez large pour que sa frêle silhouette y disparaisse.

Pourtant, presque aussitôt la pression autour de ses poignets se relâcha.

— Sang Dieu ! entendit-elle hurler.

— Là !

Ils ne s'occupaient plus d'elle. Ahurie, Flore pivota, vit un homme, debout, qui, depuis le mur, décochait flèche sur flèche, abattant les sergents.

Elle ne chercha pas à comprendre. Elle se précipita dans la brèche avant que l'un de ses assaillants ne décide de se servir d'elle comme d'un bouclier. Derrière se trouvait une cour pavée qu'elle traversa à la course, les pensées en désordre. Elle grimpa sur un arbrisseau qui surplombait la clôture, sauta de l'autre côté, puis, s'étant repérée, fila dans le dédale des ruelles.

Le souffle court, poussée par l'urgence, elle empruntait le raidillon qui menait au château lorsque retentit un bruit de galop.

Rattrapée par l'angoisse, elle accéléra l'allure, au risque de s'étaler de son long sur le sentier inégal.

Aucune chance, la narguait le martèlement des sabots qui se rapprochaient.

La barbacane était encore loin.

— À l'aide ! À l'aide ! hurla-t-elle, espérant attirer l'attention des guetteurs.

Il eût fallu qu'ils soient sourds pour n'avoir pas perçu le vacarme.

À l'instant où la herse se soulevait, le cavalier arriva à sa hauteur.

— Flore, entendit-elle.

Elle tourna la tête, reconnut Armand à la lueur voilée de la lune. Du sang lui ruisselait de l'épaule.

— Allez-vous-en ! le repoussa-t-elle, courant vers le château, l'obligeant à se maintenir à portée.

— Quoi que tu penses de moi, monte ! La comtesse ne pourra rien pour toi. L'inquisiteur agit sur ordre du roi. Il forcera ces portes et ne fera de toi qu'une bouchée. Il existe une ancienne poterne, de l'autre côté de la cité, vers la ferme de tes parents. C'est par là que je suis arrivé.

Ils étaient presque en haut de la butte. Le restant de l'escorte de l'inquisiteur s'était réorganisé et en attaquait le bas, les talonnant. Un regard devant elle lui montra la garde du château qui, épée au poing, déboulait enfin.

Complices les uns des autres ?

— Je ne supporterai pas de te perdre, insista Armand, l'œil suppliant, à demi penché sur sa selle.

Le cœur de Flore s'emballa. Comment pouvait-elle encore penser qu'il était responsable de la mort de ses parents alors qu'il était venu la secourir au péril de sa vie ?

Elle s'empara de sa main tendue, le vit tourner bride, couper la pente et les soustraire à ces hommes qui se rejoignaient.

16.

Résidence royale, abbaye de Maubuisson,
près de Pontoise.

Charles IV mit un long moment à émerger de ce rêve sensuel où, peau contre peau, Jeanne lui promettait mille délices. Il n'était pas un instant, ces huit dernières années, où le feu qu'elle entretenait en lui n'avait forci, appelant sa chair, tourmentant son âme. Il s'était cru attaché à sa première épouse. Il avait découvert le sens de l'amour sous les caresses de plus en plus savantes et maîtrisées de sa maîtresse. Elle ondulait, roucoulait sous lui, sur lui, faisant glisser bouche et cul sur sa hampe en le fixant droit dans les yeux, gourmande de sa propre perversion, gourmande du plaisir qu'il en prenait chaque fois davantage. Lorsque Jeanne, effrontée, impudique, relevait ses jupons pour lui offrir sa croupe, il ne savait plus quel démon s'emparait de lui. Certes Sodome avait été condamnée pour de telles pratiques. Mais comment résister à cette chair pulpeuse qui lui emprisonnait le gland avant de le rejeter ? Il passait alors des ornières de cette forêt galante à ses sous-bois fleuris, tantôt ravinant l'une, tantôt visitant les autres, avec la délectation d'un cavalier ne faisant plus qu'un avec sa monture. S'accordant au plaisir de Jeanne, il chevauchait, le souffle de plus en plus court, les va-et-vient de plus en plus rapides, sautant cette haie entre les deux cavernes avec la peur de trébucher avant d'atteindre la dernière. Il souffrait de devoir se contrôler tant il voulait se délivrer au bon endroit, dans le creuset du diable. Là où il n'y avait aucun risque que Jeanne soit, à cause d'une grossesse, chassée du béguinage. Et par voie de conséquence de sa vie.

Or, donc, s'arracher à cette étreinte, fût-elle le fruit d'un rêve délicieux, lui fut aussi détestable que s'il avait été contraint de rester au seuil de la porte de son aimée.

Instinctivement, il referma la main sur son vit, espérant, en gardant les yeux fermés, prolonger ce délice, jouir peut-être avant même de se rendormir.

Le son du cor sous sa fenêtre immobilisa son geste, l'obligeant à écarquiller les yeux.

À cet instant précis il comprit que c'était cette alarme, répétée, qui l'avait éveillé.

Il cessa de respirer.

On s'agitait au pied de la tour. Il reconnut la voix du capitaine de sa garde :

— Vous, emportez-le. Claret et Rocher, répartissez vos hommes. Fouillez les abords. En et hors les murailles ! Retrouvez-moi ce chien !

Le cœur de Charles se mit à cogner comme un sourd dans sa poitrine.

Il relâcha son membre ramolli, voulut rejeter le drap pour se lever et se pencher à la fenêtre, demander des comptes. Mais à la faveur de ce rai de lune qui distribuait une clarté blafarde dans la chambre, son geste fit s'envoler une plume, et il ne sut plus que la fixer, la fixer, les yeux exorbités, jusqu'à ce qu'elle se dépose sur sa chemise.

Aux ordres donnés sous sa fenêtre avait succédé un bruit sourd de galopade, de branches écartées. Charles saisit ce duvet entre ses doigts qui tremblaient, puis se cala contre l'oreiller. Un rictus d'angoisse déforma ses traits.

Inutile de la vouloir autre que ce qu'elle est : une condamnation.

Il lui suffisait de se souvenir.

19 mars 1314.

Son père avait insisté pour que tous les membres de sa famille et de son Conseil assistent à la fin du grand maître de l'ordre du Temple. La fin d'un combat gagné de dure lutte. Contre l'hérésie, affirmaient-ils tous. Mais il savait, lui, qu'il n'en était rien.

Quelques années auparavant, il avait surpris une conversation entre sa sœur Isabelle, revenue d'Angleterre pour plaider la cause de Jacques de Molay, son parrain, et leur père Philippe le Bel. Elle l'avait accusé de ne songer qu'à faire main basse sur l'immense fortune du Temple, à l'heure où les caisses du royaume étaient vides, où un prêt supplémentaire grèverait plus encore les finances du royaume. Philippe le Bel avait ordonné à sa fille de se taire, mais Isabelle lui avait tenu tête. Elle était reine d'Angleterre et, désormais, pouvait l'affronter d'égal à égal. Oui, Charles se souvenait de sa véhémence ce jour-là.

— Ne condamnez pas Molay, père ! Il fut votre ami. Le plus noble et le plus digne chevalier qui soit encore. Plaie d'argent ne vaut pas que l'on vende son âme au diable !

— Je t'approuve sur ce dernier point ! Car c'est exactement ce que les chevaliers du Temple et ton parrain ont fait ! avait rétorqué Philippe le Bel en mettant ainsi fin au débat.

Mais lui, Charles, n'avait jamais oublié la fureur qui avait emporté son père en 1307, lorsqu'il avait découvert que la somme confisquée à l'ordre du Temple, bien loin de la colossale richesse qu'il espérait, venait seulement à bout de ses dettes. Philippe le Bel n'avait alors cessé de multiplier les exactions contre l'Ordre, appelant plus de torture, plus de privation pour découvrir où l'or avait été emporté, alors même que l'Inquisition, pour justifier ses actes, enterrait les Templiers sous des accusations de moins en moins réfutables.

Charles fit rouler la plume entre son pouce et son index.

19 mars 1314.

Il se souvenait de l'odeur de chair brûlée. Une odeur âcre, qui, des mois durant, lui avait fait tordre le nez sur les rôts qu'on lui servait. Il allait reculer discrètement, se mettre en retrait pour tenter de se soustraire à l'épaisse fumée qui se dégageait, lorsque, comme tous, il avait aperçu cette colombe. Elle avait semblé traverser le rideau de flammes du bûcher, était venue se poser devant la famille royale, sur l'un des merlons de la tour.

Il ferma les yeux, eut l'impression de manquer d'air, comme ce jour-là, alors que du grand maître n'apparaissait plus que cette main noire, boursouflée. Comme si, dans un dernier tour de magie, il avait lui-même lâché l'oiseau venu les défier.

Il se souvint du silence qui avait saisi le parterre de conseillers, réjoui jusque-là d'en avoir terminé.

De la voix de son père, altérée par sa lecture du billet qu'il avait décroché de la patte du messager ailé.

Du frisson qui l'avait parcouru, lui, Charles, à cet instant.

« Les Capétiens cessent ce jour d'être dignes de la bénédiction de Dieu. Aucun ne gardera assez longtemps la couronne pour remplir les coffres du royaume. Tous. Tous qui avez péché par orgueil, par cupidité. Oui, tous vous mourrez. Lors, Flore Dupin délivrera le baume sacré à qui, d'une autre lignée, l'aura mérité. »

Durant quelques secondes, on n'avait plus entendu que le roulement du brasier. Ce fut son frère Louis qui avait réagi le premier.

— Piètre malédiction. Je comprends qu'on l'ait condamné !

Quelqu'un avait ri, d'un timbre de fausset. Puis Philippe le Bel avait écrasé le message entre ses doigts.

— Voici ce que réserve le roi de France à qui ose le défier ! avait-il ajouté en tirant sa dague.

Charles l'avait vu embrocher la colombe, puis la précipiter dans le vide avant de tourner le dos à l'île aux Juifs et de les inviter au banquet.

Quelques semaines plus tard, Clément V avait reçu la première plume, tachée par la fumée du brûlot de Jacques de Molay. Ce fut ensuite le tour du grand inquisiteur de France, Guillaume Humbert de Paris, de Philippe le Bel, puis de tous ceux de sa lignée tour à tour. Chacun d'eux était mort peu après.

Et maintenant moi, se mit à frémir Charles avec ce sentiment détestable qu'il pourrait arrêter toutes les Flore Dupin du royaume, nul ne pourrait le sauver.

Il sursauta sous les coups répétés contre sa porte.

Instinctivement, il dissimula la plume dans le col de sa chainse de nuit.

— Entrez, autorisa-t-il.

Son valet de pied passa le seuil, une lanterne à la main.

— Que Sa Majesté me pardonne de la réveiller ainsi. Je venais m'assurer qu'elle était sauve.

— Fi ! s'agaça Charles en battant l'air d'une main moite. Qu'est-ce donc que ce raffut sous ma fenêtre ?

— N'avez-vous rien entendu ?

— Je dormais du sommeil du juste. Jusqu'à ce qu'on hurle et s'agite.

— Un intrus, sire.

Charles frissonna. Quelqu'un s'était donc introduit dans sa chambre. Tout aussitôt il se relâcha : un être de chair et non le diable.

Flore Dupin ! Plutôt que de déposer cet avertissement, elle eût pu m'étouffer, me poignarder aisément. Pourquoi surseoir ?

— L'avez-vous saisi ? s'enquit-il, espérant le lui demander en face.

— Point encore. Il semble que le coupable ait fui en utilisant la poterne est, après avoir sérieusement abîmé l'un de vos gardes. Pour l'heure ce dernier est toujours inconscient.

Charles se sentit frustré. Il aurait voulu une réponse. Maintenant. Une réponse que ses frères avaient cherchée avant lui lorsqu'ils avaient découvert tour à tour, effarés, qu'il ne restait plus de baume dans la sainte ampoule. C'était le mélange de cette onction ambrée avec le chrême de l'Église qui, depuis Clovis, assurait aux rois de France une légitimité divine. Or, Charles s'était fait sacrer sans elle, en achetant le silence de l'archevêque. Il avait menti à son peuple. À tous. Et la plume était là pour le lui rappeler et le condamner.

Flore Dupin est-elle l'instrument du châtiment divin, trembla-t-il en sentant la plume chatouiller sa peau, *ou seulement l'instigatrice d'une conspiration destinée à venger Jacques de Molay ?*

Une réponse que ses frères n'avaient pas eu le temps de trouver.

— Le garde survivra-t-il ? s'inquiéta-t-il à l'idée de ne pas en savoir davantage.

Le valet haussa les épaules avant de tordre la bouche.

— À défaut de son témoignage, des hommes ratissent le terrain dans l'espoir de découvrir un indice. La surveillance a aussi été redoublée.

— Est-ce tout ?

— Oui, sire.

— Disposez, le renvoya Charles.

Puisque le péril immédiat a été repoussé, mieux vaut regarder les événements en face, prendre du recul.

Il devait à tout prix faire tomber cette angoisse qui, malgré le soulagement d'avoir à affronter un être et non un démon, ne désarmait pas.

Il repoussa les draps, décidé à se lever.

Mais à peine fut-il debout que la plume sembla s'enfoncer dans son cœur. Il voulut l'ôter de sa chemise. Il ne l'y trouva plus.

Est-il possible qu'elle se soit fondue à ma peau ?

Il écarta les lacets, fébrile, étouffa, tituba, dut se rattraper au montant du baldaquin.

Non. Non. Je ne peux pas mourir comme ça. Pas maintenant. Je dois choisir ma future épouse, me marier au plus vite, faire un enfant. Sauver la lignée des Capétiens.

Obsédé soudain par l'urgence de tout accomplir avant que la mort ne frappe, il voulut quitter sa chambre, gagner Paris, avancer l'heure du Conseil.

Mais il s'écroula sur le lit, les traits de Jeanne, chimérique espérance, devant lui.

17.

Ardennes.
Château de Rethel.

Elle se tient là, face à ce mur griffé par des traînées de mousse. Entre ses doigts crispés par le chagrin, la clef lui semble peser plus lourdement que d'ordinaire. Une clef massive qui a défié le temps. Elle sait. Elle sait qu'elle doit le faire, même si tout en elle s'y refuse. Elle a tout préparé, minutieusement. Pourtant, sa main frémit quand elle enfonce le métal dans la serrure.

C'est chaque fois la même émotion, mais aujourd'hui, elle est exacerbée. Elle avance, entre dans le tombeau. Le seul qui date encore de la construction de l'abbaye, quand, tant de fois, les hommes se sont évertués à abattre, incendier, raser les murs qui le protégeaient pour que d'autres, inlassablement, les relèvent.

La dernière fois. Ce sera la dernière fois, pense-t-elle.

Elle entend son cœur battre, résonner dans ce silence de pierre. Elle avance jusqu'au sarcophage. Elle sent sa main trembler lorsqu'elle la plonge dans le sac qu'elle a apporté. Le linge qu'elle en retire est lourd, fait de serge épaisse. Elle en recouvre le cercle de verre ménagé en haut du couvercle, s'assure qu'il ne glissera pas, ni maintenant ni plus tard, puis revient en arrière.

Les hommes qu'elle a choisis, enrôlés, l'attendent au bout du passage, porte Saint-Didier. Ils sont huit. Le nombre nécessaire pour soulever un tel poids. Elle les invite à la suivre, les regarde officier en silence, emporter le cercueil.

Elle est émue.

— Avec précaution ! dit-elle lorsqu'ils s'approchent de la charrette.

Ils s'appliquent à ne pas choquer la pierre contre les bordures. Ils déposent leur fardeau sur les planches de bois avec délicatesse, tendent une bâche dessus.

Elle n'eût pas mieux fait elle-même. Elle frissonne dans cette nuit sans lune que le hululement d'une chouette invisible rend plus troublante encore.

— Prenez ma main, madame, le marchepied est fatigué, lui propose le meneur.

Elle s'y appuie, grimpe à côté du cocher, tandis que l'homme remonte en selle, récupère sa torche.

— Allons-y, dit-elle en resserrant les pans de son manteau.

Elle sent s'ébranler les chevaux, cahoter les roues. Elle fixe la lueur de l'unique torche qu'elle a consentie à ces hommes pour qu'ils ne s'écartent pas du chemin. Ils sont là, deux devant, deux sur les côtés, quatre derrière, prêts à défendre de leur vie ce qu'elle doit protéger de la sienne.

Elle ne sait plus depuis combien de temps elle roule. Si elle s'est endormie. Elle ne le croit pas puisqu'elle n'a rien dit de leur destination. Puisqu'elle doit les guider à chaque nouvelle croisée de chemin. Elle ne sait plus si elle a épuisé une nuit, deux, une journée, trois... Elle ne se souvient plus. Non. Ce qu'elle se rappelle, c'est le chaos de la route, le rythme lent des chevaux de trait, le bruit des sabots de ceux de sa garde.

Et puis soudain, tout s'arrête. L'obscurité est là. Toujours ? À nouveau ? Les arbres plient sous le vent, l'eau clapote. Lac ? Mer ? Ce qu'elle sait, c'est qu'il lui faut atteindre cette île, cette tour. Qu'il lui suffira de cette clef, de cette même clef pour en ouvrir le cœur. Elle s'avance, l'enfonce dans ses veines noires et ocres. Un parfum de fleur lui chatouille les narines, mais elle n'en reconnaît pas la fragrance. La paroi se dérobe.

— Vous pouvez décharger. Le tonnelet et les coupes aussi, dit-elle en se tournant vers ces hommes.

Ils ont mis pied à terre, restent dans ce qui a été convenu : aucune question. Pour s'en assurer, elle a obtenu qu'ils ne soient payés qu'au retour.

De nouveau une torche flambe. On la lui tend. Elle encadre la manœuvre, surveille le débâchage, la prise en main, le transport.

— Ici, dit-elle encore, économe de mots, de gestes, tant son émotion est grande.

Tant elle s'applique à ne rien laisser paraître de ses mensonges.

— Ensemble, dit le meneur en déposant le sarcophage au centre de la pièce.

Elle se dirige vers le cocher qui tient toujours le petit fût sur une épaule, les gobelets dans une besace passée sur l'autre.

— Servez-nous, lui dit-elle avant de se tourner vers ces mercenaires dont le travail est achevé.

On ne lui a pas menti. Ils s'approchent, aussi gourmands de vin que d'or.

Le cocher lui tend sa coupe. Elle la porte à ses lèvres, les regarde vider la leur, d'un trait, en hommes pressés. Ils boivent, tous, jusqu'à la lie, quand elle en connaît la nature et ne boit rien.

Imperceptiblement, elle recule pour les embrasser du regard. Les voit soudain porter leur main à leur gorge, chercher un air qu'ils ne trouvent plus, rouler des yeux exorbités, puis s'effondrer en quelques secondes à peine.

Tous. Sauf un. Le meneur qui la fixe, mauvais. Elle sent son cœur s'emballer dans sa poitrine tandis qu'il répand le liquide sur le roc.

Elle s'affole, se précipite vers la sortie pour l'emmurer avec les autres. Mais en homme d'action, il fonce, la rattrape, l'empoigne par un bras.

Cela ne devait pas se passer comme ça.

Elle se débat, terrorisée. Mais ses coups atteignent à peine cette carcasse massive, prête à se vendre à tous les combats. Elle se sent projetée à terre, meurtrie par la dureté du sol. Elle rampe vers la sortie, entend ricaner et presque aussitôt a l'impression que sa chevelure s'arrache de son crâne. Elle hurle de douleur, d'effroi.

— Voyons un peu ce qui justifie la mort de mes hommes ! rugit-il en la traînant derrière lui.

Elle s'agite plus encore.

De sa main libre, il arrache le tissu, découvre l'intérieur du sarcophage.

La surprise et l'effroi lui font aussitôt lâcher prise.

Elle est libre. Le nez contre la cuisse de l'un des cadavres. Une dague s'y trouve accrochée. Elle relève les yeux. Le meneur ne s'occupe plus d'elle. Ahuri, il cherche à ouvrir la bière, à vérifier ce que l'épaisseur du verre lui permet d'entrevoir. Elle sent le manche de bois emplir sa main, sa détermination relever son bras. Elle frappe. Frappe. Des coups violents, démesurés. Elle ne les compte pas. Le mercenaire hoquette, s'affale sur le cercueil qui ruisselle de sang. Il ne bouge plus.

Elle tremble, maculée elle aussi, ne trouve plus que la force de ramper au milieu de ce charnier.

Elle s'écorche les ongles sur le roc pour se remettre debout. Elle se sent sale, échevelée, meurtrie par ce déferlement de violence. Elle rejoint l'extérieur en s'adossant à la paroi, tant ses jambes peinent à la porter. Elle jette un œil terrorisé en arrière. Plus rien ne bouge. La torche d'amadou achève, à terre, de consumer l'huile dans laquelle elle a été trempée. Le sarcophage est rouge.

Je reviendrai. Je reviendrai nettoyer, pense-t-elle devant cette souillure intolérable. Plus tard. Plus tard, oui.

Elle retire la clef. Tout se referme. Alors seulement elle se laisse couler contre cette muraille, des sanglots plein la gorge, entre l'effroi et le soulagement.

Oublier. Si seulement je pouvais oublier, prie-t-elle.

La comtesse de Rethel se redressa, en sueur, le souffle court, égarée. Il lui fallut quelques secondes avant de reprendre possession des lieux à la faveur de la douce clarté qui baignait la chambre. En se recouchant tantôt elle n'avait pas eu le courage de refermer les tentures.

Un mouvement à ses côtés.

— Qu'est-ce que c'est ? grogna Louis, tiré lui aussi du sommeil.

Elle prit alors conscience des coups insistants frappés à la porte de leur chambre.

— Qu'est-ce que c'est ? répéta le comte d'une voix plus ferme.

— Une urgence, monsieur, cria enfin le valet.

18.

Ardennes.
Château de Rethel.

Louis de Dampierre planta un regard agacé dans celui de son épouse, brutalement rattrapée, elle aussi, par le souvenir des événements de la journée.

— Si c'est encore ce maudit prélat ! fulmina-t-il en repoussant le drap.

— Louis ! le retint-elle alors qu'il marchait déjà d'un pas décidé vers la porte.

Il se retourna, se décomposa devant ses traits crispés.

— Ne faites rien que nous pourrions regretter.

Il lui retourna un pâle sourire, mais elle sentit qu'il en avait assez.

Il ouvrit abruptement la porte, trouva le valet déconfit derrière, son chandelier à la main.

— J'écoute, dit-il, préparé au pire.

— Les cuisines sont envahies par des soldats blessés.

Un cri étouffé en provenance de la couche ajouta à l'inquiétude soudaine de Louis.

— Sont-ce les nôtres ?

— Non, monsieur, ceux de l'inquisiteur.

Une bouffée d'espoir l'envahit.

— Et lui ?

— Il n'est pas du nombre.

Déçu, il se retourna à nouveau vers sa femme.

— Restez là. Cela vaut mieux.

Elle hocha la tête.

— Monsieur le comte n'est pas très convenable, souligna le valet comme il s'apprêtait à passer le seuil.

Louis baissa un œil ahuri sur sa chainse de nuit, mesurant à quel point, face aux proportions que prenait cette affaire, il en oubliait jusqu'aux convenances. Il revint à une patère, se vêtit à la hâte, évitant cette fois le regard de sa femme qui venait, dans un réflexe de protection incohérent, de remonter le drap jusqu'à son menton.

La comtesse de Rethel resta immobile, à l'écoute des pas qui s'éloignaient.

Son cœur cognait, dément, dans sa poitrine.

Ont-ils saisi Flore ?

Le doute devint si oppressant qu'elle finit par se lever.

Elle hésita à traverser le château, craignant de se heurter à l'inquisiteur arrivé entre-temps, avant de se souvenir qu'elle pouvait atteindre les cuisines autrement. Elle fit jouer une cache dans le plancher, en sortit une clef étrangement tournée, marquée du sceau de l'ordre du Temple. Ayant jeté un châle sur ses épaules, elle quitta la chambre, descendit l'escalier jusqu'au rez-de-chaussée et ouvrit une porte dérobée dans la maçonnerie de la vis.

Elle se faufila dans le couloir. À droite, il plongeait profondément sous terre pour ressortir à la chapelle de Gusan dans laquelle les soldats avaient perdu la trace de Flore. À gauche, il suivait les contours de l'ancien bâti du château. Elle parvint rapidement aux cuisines. Elle fit jouer un verrou latéral à hauteur de ses yeux. S'agaça de découvrir que sa vue se heurtait en partie au cul d'une casserole de cuivre. Elle se décala d'une demi-toise, trouva un meilleur angle.

Louis brandissait un index furieux alors que déjà, sa voix, ulcérée, avait franchi la distance qui les séparait.

— Une embuscade ! Dans Ma ville ! Sans Mon accord ! Pour qui vous prenez-vous ?

L'homme auquel il faisait face se tenait l'épaule d'une main ensanglantée.

— Je n'ai fait qu'obéir aux ordres, s'excusa-t-il, penaud.

— Je n'ai que faire de vos ordres ! Vous auriez pu blesser, tuer mes gens ! Des innocents ! Encore !

— Notre capitaine est mort, monsieur. Si vous devez vous plaindre, c'est à l'inquisiteur qui nous posta là.

Louis fulmina.

— À cette face de carême ? Certainement pas ! J'en référerai au roi ! La famille de Rethel est sous sa protection ! Et il est grand temps que votre Robert Gui s'en souvienne !

— Est-ce à dire que vous nous refusez assistance ?

Louis s'adoucit à peine.

— Je veux bien consentir à ce qu'on vous soigne mais pas à vous héberger. Sitôt pansés, disparaissez !

Il lui pointa le torse.

— Et portez bien ceci à l'attention de votre maître : je me moque que ce rémouleur se révèle autre qu'il paraît, que cette fille ait filé une fois de plus. Quoi qu'elle ait à se reprocher, je n'admettrai pas davantage d'être soupçonné de connivence avec le diable, sous mon propre toit.

La comtesse sentit son angoisse retomber.

Inutile de rester là plus longtemps.

D'autant que Louis s'était détourné du garde et ordonnait à ses domestiques qu'on fasse bouillir de l'eau et qu'on prépare des linges.

Tandis qu'elle tournait les talons, elle l'entendit aboyer :

— Je retourne me coucher. Si l'on me réveille à nouveau, que ce soit pour m'annoncer que cette troupe a quitté le comté !

Parvenue au pied de l'escalier, elle fut soulagée de voir que Dieu s'était accordé à ses prières. Flore courait toujours. Elle se dépêcha de remonter dans sa chambre, rangea soigneusement son passe et se coula dans son lit, prête à accueillir son époux et à entendre comment ces hommes avaient été déboutés.

Par qui, elle s'en doutait déjà. Elle étouffa un sourire sous le drap ramené à ses lèvres.

Bien joué, Armand…

19.

Paris.
Grand béguinage royal.

Un petit jour laiteux étirait sa cape de rose et de pourpre au-dessus du bourg Saint-Paul lorsque Jeanne de Dampierre rendit sa monture.

L'angoisse au ventre, son chapeau rabattu sur les yeux, sa cape autour de ses habits d'homme, elle dut attendre que la garde déverrouille la poterne des Barrés. Elle ne pouvait plus utiliser celle qu'elle avait empruntée à l'aller. Les béguines étaient déjà debout.

Fort heureusement, elle n'était pas la seule à vouloir entrer dans Paris à cette heure. Son empressement se noya au milieu de celui des portefaix dont les accents et les dialectes se mélangeaient.

La ruelle s'animait déjà. Les volets s'ouvraient sur des gens qui bâillaient. Des enfants finissaient de lier leurs braies sur des perrons crasseux, prêts, comme ce flot d'œuvriers autour d'elle, à vendre leurs services sur le port de Grève. Une odeur de pain chaud se mêla un instant à celle de vase et de poisson.

Dans quelques minutes, ce sera la cohue! songea Jeanne en couvrant la maigre distance qui la séparait de son logis. Elle s'y engouffra, à peine soulagée. Bertrade déposait une casserole sur le trépied au-dessus des braises lorsque la porte se referma dans son dos, la faisant sursauter.

Elle pivota, vit Jeanne adossée au battant, si pâle qu'elle abandonna tout pour se précipiter vers elle.

— Ce n'est rien. Un simple vertige, voulut la rassurer la jeune femme, avant de baisser les yeux sur l'index que la servante pointait vers son gilet.

Du sang le maculait.

— Ce n'est pas le mien, avoua-t-elle dans un souffle.

Bertrade hocha la tête, mais Jeanne ne lut pas de reproche dans son regard. Et ce constat ne sut que renforcer son malaise.

Que lui dire?

— Ton lait déborde, se décida-t-elle, sentant l'odeur caramélisée s'échapper de la cheminée.

Bertrade leva les bras au ciel et Jeanne en profita pour se défiler.

— Je vais me changer, annonça-t-elle en se dirigeant vers l'escalier, sans même un regard pour les oublies[1] qui trônaient sur la table dressée.

À l'instant où elle entrait dans sa chambre, le pas de Bertrade retentit sur les marches.

---

1. Petites gaufres rondes.

Un léger sourire étira ses lèvres sèches.

Elle sera là, quoi que je fasse. Quoi que j'aie fait.

Sans manifester la moindre émotion devant les traces de sel sur le parquet ou l'odeur âcre qui flottait encore dans la pièce, Bertrade se dirigea vers un coffre et en récupéra une cotte et une ceinture propres.

S'empressant nerveusement de détacher l'étui du poignard de la sienne, Jeanne vit que le manche était couvert de sang séché.

Ai-je tué cet homme ou est-il seulement blessé ? se demanda-t-elle à nouveau.

La prudence l'amenait à espérer l'un quand le remords voulait l'autre.

Si seulement je pouvais être certaine qu'il ne m'a pas reconnue.

Bertrade déposa les vêtements sur le lit.

La cotte rebrodée d'or que le roi affectionne.

Jeanne se troubla.

Aurait-elle deviné ?

Elle ne releva aucun reproche silencieux sur ce visage redevenu aimant. Pourtant les mains de Bertrade tremblèrent légèrement, signe de son anxiété, lorsqu'elle lui remit la dague.

— Peux-tu la nettoyer ? Je descendrai mes habits sitôt que j'aurai passé les autres. Il faudra les brûler.

Bertrade quitta aussitôt la pièce. La seconde suivante, Jeanne l'entendit tourner la clef dans la serrure de la porte qui donnait sur la cour du béguinage, s'assurant ainsi de ne pas être surprise avant d'avoir achevé sa tâche.

Mieux vaut que je m'active moi aussi. Effrayé par la plume, Charles ne tardera pas à venir m'en parler. Il ne doit pas me trouver dans cet état.

Elle s'efforça de dompter son épuisement et sa tension en dégrafant son aumônière. Ses doigts ne rencontrèrent que l'attache, ballante. Elle baissa les yeux sur le cuir. Horrifiée, elle ne put que le confirmer :

Disparue !

Son esprit bascula en arrière, dans la chambre du roi. Affolée, elle se souvint de l'avoir ôtée pour en extraire la plume.

J'ai dû mal la remettre !

Son sang s'accéléra plus encore dans ses veines.

Où a-t-elle pu tomber ? Dans le lierre ? Au moment où j'ai sauté à terre ? Avant de passer la poterne ? Dans les bois ? Sur la route tandis que je poussais mon cheval au galop ?

En une fraction de seconde, elle revit le garde tendre la main vers elle, agripper sa ceinture puis la lâcher lorsqu'elle l'avait poignardé.

Sa peur monta d'un cran.

L'a-t-il emportée avec lui ? Folle. Folle que j'ai été de ne pas vérifier à ce moment-là. Si on la lui montre, Charles reconnaîtra ce présent qu'il m'a offert. Impossible ! Non. Non ! Je ne peux pas permettre ça.

Elle arracha ses vêtements souillés d'une main fébrile, se retrouva nue, brusquement traversée de frissons fiévreux. Il lui sembla que sa tête était prise dans un étau. Titubante, saisie d'un spasme nauséeux, elle dut s'asseoir, l'esprit aveuglé par la peur.

Charles oserait-il la faire arrêter ? la soumettre à son tour à la question puis au bûcher ?

Non. Cela n'arrivera pas. Il n'est peut-être pas encore trop tard. Retourner à Maubuisson. Oui, c'est cela. Je dois retourner à Maubuisson, le plus naturellement du monde. Et remettre la main sur cette aumônière avant que quelqu'un ne la ramasse.

Il lui fallut quelques minutes avant, toutefois, de parvenir à dompter son malaise, avant de pouvoir se rhabiller.

Ressaisie, elle dévala l'escalier, déposa son linge souillé dans les bras de Bertrade, emporta une oublie au passage pour remplir son estomac révulsé puis sortit dans la rue, crispée.

Elle n'avait pas d'autre issue, pour survivre et atteindre son but, que de courir au-devant du danger.

20.

Route de Rethel à Reims.

Le jour montait, gaillard, à l'assaut des quelques nuages qui fleurissaient l'azur lorsque Flore ouvrit les yeux. Elle ne se souvenait pas de s'être endormie contre le torse d'Armand, ballottée par leur chevauchée. Il avait dû sentir qu'elle lâchait prise, car il la verrouillait étroitement de son bras. Elle redressa le buste, lui permettant aussitôt de se détendre.

— Où sommes-nous ? demanda-t-elle, en notant qu'il avait ralenti leur course et que la voie devant eux s'encombrait de chariots et de cavaliers.

— À quelques lieues de Reims. Reposée ?

— Moulue. Mais moins que vous sans doute.

— J'ai l'habitude de veiller.

Elle ne décela rien dans sa voix. Rien qui pût l'amener à penser qu'il lui reprochait son attitude, le danger qu'elle leur avait fait courir. Elle ne s'en sentit que plus coupable. Elle attendit qu'il ait fini de doubler une charrette emplie de fûts de terre cuite, puis, étant de nouveau hors de portée d'oreilles indiscrètes, elle reprit :

— Je suis désolée, Armand. Désolée d'avoir douté de vous. Et désolée aussi de m'être endormie, de vous avoir contraint à me tenir quand cette blessure à l'épaule doit vous faire atrocement souffrir...

— Tu as fait preuve d'audace et de témérité en plein cœur d'une tempête qui en aurait abattu bien d'autres. Je ne t'en veux pas. D'autant que j'y ai ma part de responsabilités. Tu es en droit d'avoir des réponses et j'ai tardé à te les donner.

— Il n'est pas trop tard...

Il soupira.

— Pour l'heure, si. Nous arrivons...

Elle le vit bifurquer vers un chemin de terre qui conduisait à une auberge.

— ... Je dois vendre le cheval pour assurer notre pitance dans les jours qui viennent. Ça te laissera le temps de boire un lait chaud, ajouta-t-il avec bienveillance.

Un sourire regagna le visage de Flore. À défaut d'explications, au moins remplirait-elle cet estomac qui gargouillait.

Deux troènes marquaient l'entrée d'une cour envahie par des voitures. Des palefreniers s'activaient à en détacher les montures pour les remplacer par des fraîches, tandis qu'on entrait et sortait d'une longue bâtisse croulant sous le chèvrefeuille et les roses trémières. Les fenêtres étaient ouvertes, privilège qui ne durerait que le temps de voir la température estivale monter.

— De l'aide ? lui demanda un jeunot au teint rougeaud et aux dents qui se chevauchaient.

Flore hésita devant sa main crasseuse avant de la saisir pour soulager Armand d'une nouvelle prise.

Il descendit à son tour, en prenant soin de dissimuler sa plaie sous le couvert d'une cape.

— Va. Je te rejoins. Mais souviens-toi. Tu ne peux te fier qu'à moi.

Elle entra dans l'auberge. Elle n'avait pas besoin d'un miroir pour deviner qu'elle avait piteuse mine, les cheveux en bataille, l'allure négligée.

Coupable.

De fait, les clients attablés s'attardaient sur elle avec insistance.

Redresse-toi. Ils s'étonnent seulement de voir une fille seule, à cette heure et en pareil endroit. Tu ressembles à une ribaude, alors comporte-toi en ribaude ! Soutiens leur regard et, si ce sont d'honnêtes gens, ils le baisseront.

Si elle les vit aussitôt se détourner, elle n'en conserva pas moins ce détestable sentiment d'être une bête traquée.

Elle s'assit à une table discrète.

Un trentenaire ventripotent à la face de lune s'approcha d'elle. Lui aussi se méprit, car il lança, égrillard :

— Et toi, ma gueuse, qu'est-c'tu veux prendre ?

Elle s'appliqua à rester dans son rôle, releva le nez d'un air effronté, le jaugea de pied en cap puis haussa les épaules.

— Du lait au miel suffira.

Il éclata d'un rire gras avant d'annoncer :

— On paie d'avance. Un quart de sol.

Elle tordit la bouche.

— C'est cher.

— T'as qu'à boire au pis des vaches, se gaussa-t-il en tendant la main.

Elle y déposa la monnaie que lui avait remise Armand, partagée entre la colère et le chagrin que cette dernière image venait de raviver, puis se renfonça dans l'ombre.

Longue, étroite, basse de plafond, solives épaisses et tourmentées, nota Flore en prenant les proportions de la pièce pour chasser ses lugubres pensées. Un pan de mur accueillait une cheminée, un autre la rangée de fenêtres ouvertes qui donnaient sur la cour. Un comptoir sculpté de têtes de griffon, incongru dans le décor sobre des tables carrées et des tabourets de bois, supportait un tonnelet de vin devant lequel allaient et venaient des serveuses. Elle devina un escalier à vis qui remontait vers les étages, sans doute ouvert en contrebas par la cave. Elle s'attarda sur le fenestron qui voisinait sa table et qui donnait sur une arrière-cour nantie d'une jolie mare.

L'ouverture est assez large pour que je puisse m'y précipiter en cas de danger, se rassura-t-elle en reportant son attention sur la démarche timide d'un groupe de canetons.

L'aubergiste venait de la servir lorsque Armand entra. Il commanda la même chose puis vint s'asseoir en face d'elle, sous l'œil égrillard des clients.

— Je vois que tu as fait ton effet, s'amusa-t-il tandis qu'elle piquait du nez dans la mousse de son lait.

Une ribaude et son client de la nuit, voilà à quoi nous ressemblons. Qui pourrait s'en méfier ? se rassura-t-elle.

Ils échangèrent un sourire complice.

— Laisse-moi parler à présent. Je doute que l'on nous interroge sur quoi que ce soit, mais on ne sait jamais.

Flore hocha la tête.

L'aubergiste revenait déjà. Il empocha son dû, manifestant davantage de respect pour Armand qu'il n'en avait eu pour elle, puis il s'arrêta à la table voisine, celle d'un habitué sûrement puisqu'il prit le temps d'engager la conversation.

D'après ce qu'ils en déduisirent, le client encaissait les usures pour un Lombard et se plaignait des retards qu'il rencontrait.

Un soupir boursoufla les bajoues de l'aubergiste.

— Ah ! c'est sûr, mon bon monsieur ! Ces troupes, ce moine de l'inquisition, c'est pas bon pour le commerce. Même ceux qu'ont rien à s'reprocher tremblent. Y z'osent plus quitter leur maison, et même là y sont pas tranquilles, des fois qu'on forc'rait leur porte, armé du même r'frain. Moi j'vous le dis : vivement qu'y fassent main basse sur c'te Flore Dupin et qu'on r'commence à vivre !

Flore sentit la main d'Armand recouvrir la sienne. Si rassurant que se voulût ce geste, elle ne put réprimer un frisson.

21.

Route de Rethel
à Reims.

La morosité ambiante ne faisait pas pour autant perdre le sens des affaires au tenancier de l'auberge. Il recompta son dû, raccompagna l'usurier à la porte avant de se tourner vers d'autres clients qui réclamaient sa présence.

Ils étaient désormais seuls, protégés des oreilles indiscrètes par le brouhaha de la salle.

Des commis, des marchands, quelques bourgeois, nota Flore par-dessus l'épaule d'Armand qui buvait son lait, l'œil perdu en direction de l'étang et de la prise de bec de deux canards.

Personne d'inquiétant. Et pourtant…

Tous arboraient le même air maussade que leur ancien voisin de table. Tous n'espéraient que la fin de cette traque.

Elle ne parvenait pas à regagner son calme, malgré ces doigts qui caressaient discrètement le dessus de sa main. Elle aurait voulu s'en laisser troubler, profiter de ce jeu que leur offrait son rôle de ribaude, mais tout ce qui l'aurait fait frémir de bonheur deux jours plus tôt avait été perdu. Elle se sentait sale, du dedans comme du dehors. Sale pour avoir méjugé Armand, sale du sang qu'il avait fait couler et perdu pour elle. Sans compter cette angoisse qui ne désarmait pas.

Que feraient tous ces honnêtes gens si des soldats entraient, là, maintenant, annonçant qu'ils étaient sur les traces d'une fille de Rethel coursée dans les bois ? Sûr que tous les regards convergeraient à nouveau vers elle. Combien se lèveraient pour la faire pendre ?

Tous. Tous seraient contre moi. Alors qu'en sera-t-il à Reims ? Je pourrais tomber sur quelqu'un qui me connaît. Qui est passé à Rethel ! N'allons-nous pas droit dans un nouveau piège ? s'inquiéta-t-elle plus encore.

Reims n'était qu'une petite cité malgré la réputation de ses drapiers et le fait qu'elle soit, depuis le baptême du preux Clovis en 498, la ville du sacre des rois de France[1].

Armand aura-t-il encore la force de me protéger ? Je n'ai pas su repousser Gabriel, alors des soldats !

Des cernes profonds, bleuis, creusaient les yeux du rémouleur, preuve qu'en plus de sa fatigue sa blessure le faisait davantage souffrir qu'il ne voulait l'avouer.

Il a cassé la flèche pour ne pas attirer l'attention, mais il n'a pas eu le temps ni la possibilité d'enlever la pointe. Chaque mouvement pour me maintenir contre lui a dû

1. C'est à l'occasion du sacre que les rois recevaient l'onction divine à l'aide du baume, contenu dans la sainte ampoule, mêlé au saint chrême. L'origine de ce baume, d'une couleur ambrée, est légendaire.

être un supplice. Sans compter qu'avec cette chaleur, la plaie ne tardera pas à s'infecter…

Sans doute perçut-il l'insistance de son regard sur lui, car il sembla s'extraire de ses pensées pour la gratifier d'un sourire confiant.

— Ça va aller, Flore. Nous serons bientôt perdus dans la multitude.

Cela aurait dû l'apaiser, elle se sentit au contraire plus triste encore.

Fuir. Se perdre. Au nom de quoi ?

Elle secoua la tête.

— Non. Je refuse d'aller plus loin avant de savoir qui vous êtes vraiment et pourquoi je suis traquée.

Il savait que ce moment viendrait. Il n'avait retardé ce tête-à-tête que pour chercher ses mots.

Qu'as-tu entendu chez Benoît, Flore ? Jusqu'où puis-je te dire la vérité sans te perdre ? se troubla-t-il à son tour.

Il sonda ces yeux pervenche que le sommeil n'avait pas guéris du chagrin. N'y trouva que ce dernier, immense, et un besoin, tout aussi grand, de se rassurer. Il lui devait au moins de reconquérir cette confiance en lui qu'il avait écornée.

— Je n'ai pas menti. Je me nomme bien Armand d'Arcourt et je suis rémouleur. Mais comme tu l'as deviné, je ne l'ai pas toujours été.

— Templier ?

Même s'il existait peu de risques que quelqu'un les entende, il se pencha vers elle et baissa la voix :

— Écuyer de l'un d'entre eux : Jacques de Molay, le grand maître de l'Ordre. Après sa mort, en 1314, j'ai repris le métier de mon père.

— Ça explique la chapelle, le souterrain, mais pas votre intérêt pour moi... Qu'est-ce que vous me voulez ? Qu'est-ce qu'ils me veulent, Armand ?

Elle tremblait.

— Je veux te sauver. Parce que tu es innocente alors qu'ils pensent que tu es la clef d'une malédiction pesant sur la couronne de France.

— C'est absurde !

— Pas tant que cela. Une colombe a tourné autour du bûcher de Jacques de Molay avant de porter un billet au roi Philippe le Bel. Un billet lançant une malédiction. Ton nom était écrit dessus. Depuis, tous ceux qui participèrent à l'exécution du grand maître, ainsi que leurs descendants, reçurent une plume de colombe quelque temps avant de mourir.

Flore sentit un vent glacial la parcourir de la tête aux pieds. Combien de fois s'était-elle réveillée en sueur, après avoir rêvé d'une colombe qui traversait un mur de flammes... Combien de fois avait-elle entendu une voix prononcer « maudit, maudit » tandis qu'elle regardait l'oiseau s'élever vers un balcon perdu dans la fumée ?

Souvenir de mon enfance, mots prononcés par ma mère, ou diablerie ? se troubla-t-elle sans oser le formuler, ici, en ce lieu où pourtant elle n'intéressait plus personne.

— Je vous ai entendu dire à votre ami Benoît que vous vouliez me conduire en Angleterre.

Il hocha la tête, s'attendrit devant son air dans lequel venait de surgir un reste de méfiance.

— Est-ce pour cela que tu t'es enfuie ?

Elle grimaça.

— Vous avez ajouté « de gré ou de force ».

Il se rejeta en arrière pour soulager la douleur que sa posture occasionnait. Il ne tiendrait guère longtemps s'il ne se faisait pas soigner. Mais avant, il devait empêcher l'esprit de Flore de galoper davantage.

— Je l'ai dit, oui. Parce que je craignais justement que tu ne te laisses emporter par tes sentiments et ne commettes une sottise.

Elle soutint son regard, releva la goutte de sueur à son front...

Mon inconséquence aurait pu le tuer. Nous tuer.

— Je vous demande pardon.

Il reprit sa main dans la sienne.

— Non, Flore. Tu n'as pas à t'excuser d'avoir eu peur. Pas après ce que tu as traversé. Mais désormais tu sais que le roi ne désarmera pas tant qu'il restera une Flore Dupin en liberté. Son père, ses frères, ses neveux sont morts. Il est le dernier des Capétiens. Peu importe que tu sois coupable ou non. Tu existes et tu représentes une menace pour lui. C'est pour cela qu'il faut partir, quitter la France au plus vite à présent que cet inquisiteur t'a repérée.

— Mais pourquoi l'Angleterre ?

— Mon oncle était un Templier, proche, autant que je l'étais moi-même, de Jacques de Molay. Je sais pouvoir compter sur lui là-bas.

Elle sentit la chaleur regagner son cœur. Alors c'était vrai. Il avait seulement voulu la protéger.

Comment ai-je pu douter de lui ?

— Je comprends, dit-elle simplement, brûlée soudain par le contact de cette main sur la sienne.

— Alors tu comprendras aussi que nous ne pouvons nous attarder davantage. Le fait d'avoir emprunté la poterne nord de Rethel a dû les induire en erreur sur notre destination, mais je devine que, déjà, des messagers ont dû être envoyés partout avec notre signalement.

— Et mieux vaut mettre le plus de distance possible entre nous et l'inquisiteur.

Ils échangèrent un regard complice.

— Prête ?

— Cette fois je le suis, assura-t-elle en se levant.

Il lui décocha un clin d'œil.

— Alors applique-toi à ton rôle, que si nos sergents passent par là, on ne leur décrive pas une fugitive. Parce que cette fois, nous n'aurons que nos jambes pour échapper à leurs canassons.

Elle saisit son bras valide et marcha d'un pas assuré vers la porte.

Un rire gras fusa sur leur passage. Lors, singeant le geste d'une ribaude qui avait pignon sur rue à Rethel, elle remonta son jupon et lança culée narquoise en direction de son auteur.

22.

Paris.
Palais de l'île de la Cité.

Les premières lueurs de l'aube baignaient la chambre du roi à Maubuisson lorsqu'il avait repris connaissance, le nez dans les draps, les pieds dépassant du matelas, avec cette impression tenace qu'on lui chatouillait les narines et la gorge.

Rattrapé par les événements de la nuit, Charles IV le Bel s'était redressé, terrifié, avait ôté sa chemise, fouillé partout dans le lit. Avant de retrouver enfin la plume entre le matelas et le bois du baldaquin.

Il avait fini par s'asseoir, la tête dans les mains.

Je n'ai pas rêvé. Flore Dupin était bien là. Quid du garde? s'était-il interrogé, troublé, avant de sonner son valet de pied.

L'homme était entré en compagnie de son homologue, porteur de sa garde-robe. Charles s'était laissé habiller tout en écoutant les nouvelles. Elles étaient inchangées: l'homme de faction était toujours inconscient. Quant à son agresseur, il n'avait pas été rattrapé.

C'était à partir de cet instant qu'il s'était mis à tousser. Une toux d'irritation, récurrente. Comme si le pouvoir ensorceleur de cette plume entendait lui rappeler qu'il ne pourrait se soustraire à ses effets.

Repris par l'angoisse, incapable de distinguer le réel de l'imaginaire, il avait cavalé jusqu'à Paris.

Il n'avait plus de temps à perdre.

Il se racla une nouvelle fois la gorge devant ses conseillers qu'il avait réunis sitôt son arrivée au palais de la Cité. Un seul manquait : Guillaume de La Broce qui l'avait accompagné la veille à Maubuisson pour ratifier ses propositions. Il lui avait confié la charge de recueillir le moindre mot du garde blessé, fût-ce le dernier.

L'ordre du jour était son mariage, pourtant tous affichaient des mines sinistres. S'il avait décidé de taire l'épisode de la plume, il n'avait pu leur dissimuler l'attaque sous sa fenêtre. Et ne doutait pas que ses proches allaient saisir cette occasion pour museler ses ardeurs auprès de Jeanne.

Depuis qu'il était monté sur le trône, tous jugeaient que sa relation avec une béguine, fût-elle sa maîtresse depuis huit ans, était une injure à Dieu. Même si celles-ci n'obéissaient à aucune règle monastique, elles étaient considérées par le peuple et l'Église comme des religieuses. En cet instant, face à leurs regards croisés, il se demandait seulement lequel oserait se servir de l'incident de la nuit pour le lui rappeler.

— Je crois parler au nom de tous, mon neveu, en vous disant qu'il serait prudent que vous ne quittiez plus le palais de la Cité tant que toutes les Flore Dupin n'auront pas été éliminées. Ce qui implique bien évidemment que vous cessiez de vous rendre au béguinage, se décida enfin Charles de Valois.

Lui. Évidemment. Il n'a jamais caché combien l'influence qu'exerçait Jeanne sur moi lui semblait malsaine.

Le roi lui retourna son sourire contrit.

— Je me porte bien, mon oncle. Ma garde à Maubuisson a été efficace quand bien même l'on a forcé le mur d'enceinte. Elle le sera encore où que je me trouve.

— Vous feignez, sire, de ne pas entendre ce que l'évidence même vous impose, soupira à son tour Pierre de Rémi, son trésorier.

D'entre tous ses conseillers, Pierre était celui qui comptait le plus pour Charles. À aucun autre il n'avait avoué à quel point il aimait Jeanne, à quel point il lui était difficile de ne pas en faire sa reine. Ce fut d'autant plus douloureux de devoir lui tenir tête.

— À quoi bon être le roi de France si je ne puis plus agir comme tel, me rendre où bon me semble ? Mourir serait préférable !

Charles de Valois balaya l'air devant lui d'une main agacée.

— Fi ! mon neveu, nous sommes ici entre gens qui ont vu périr trop tôt votre père et vos frères. Fréquenter encore cette femme vous met en danger. Quelle qu'en soit la manière. Vous êtes le sixième[1] des rois depuis saint Louis que côtoie et conseille mon voisin Gaucher de Châtillon. Pouvez-vous douter de notre intégrité à

1. Jean Ier le Posthume n'a pas vécu assez longtemps pour régner.

vouloir vous protéger, fût-ce de vous-même ? Pouvez-vous douter de notre loyauté ? Je ne crois pas.

— Alors ne doutez pas non plus de celle de Mlle de Dampierre ! bondit-il soudain en frappant la table de son poing.

Un silence épais se déposa dans la pièce.

— J'irai à elle, comme je l'ai toujours fait, défia-t-il leurs visages figés. Et qui voudra me l'interdire me poignardera plus sûrement qu'une prétendue malédiction ou l'assassin qui se cache derrière, tonna-t-il, surpris de découvrir que le simple fait de prononcer le nom de Jeanne avait tué tout picotement dans sa gorge et empli sa poitrine d'un souffle que sa chevauchée n'avait pas réussi à lui rendre.

Elle seule est mon salut, comprit-il, en soutenant leurs regards croisés, en devinant leur impuissance.

— Passons à ce qui nous réunit. Mon remariage. Vous le vouliez ? Je vous l'accorde. Un nom ? Une date ? Messieurs, je n'entendrai que vous ! décida-t-il en se rasseyant face à la fenêtre ouverte.

Il croisa les mains sur sa poitrine, et, laissant les membres de son Conseil à leurs débats, ne pensa plus qu'à cet instant où Jeanne le serrerait dans ses bras.

Lorsqu'il sortit enfin de la salle, l'idée d'aller la rejoindre l'obsédait d'autant plus qu'une date était arrêtée : il épouserait Marie de Luxembourg le 21 septembre.

— Plus tôt sera difficile, lui avait opposé Pierre Rodier, son chancelier et garde des Sceaux, lorsqu'il l'avait proposé.

Il s'était donc levé avec la ferme intention de déjouer le pouvoir diabolique de la plume jusqu'à ce que ce mariage soit consommé et ses fruits mûrs. Il n'avait pas voulu savoir si sa fiancée était jolie ou non. Ses conseillers l'avaient choisie. Ils savaient ce qu'il attendait d'elle : qu'elle lui donne un fils.

Cela lui suffisait.

— Je suppose qu'il faut vous faire préparer une escorte, le tança Pierre de Rémi, vexé visiblement d'avoir été rabroué au même titre que les autres.

Le roi refusa de s'attarder sur son air pincé.

— La même que d'ordinaire. Une fois pour toutes, je n'en veux point d'autre.

— Quelle que soit votre destination, je crains, sire, qu'il ne vous faille surseoir.

Charles tiqua devant la silhouette frêle et cependant imposante qui se détacha de l'angle du vestibule où, patiemment, elle s'était postée.

— Robert Gui, le salua-t-il, sans parvenir à réprimer le frisson qui invariablement le saisissait en présence de l'inquisiteur.

Il en avait croisé beaucoup depuis son enfance, le procès des chevaliers du Temple ayant, à lui seul, apporté son lot. Mais il émanait de ce moine-ci quelque chose de malsain. Quelque chose qu'il avait autrefois lu dans le regard de Guillaume Humbert. Robert Gui n'était alors que son disciple, vite promu lorsque l'inquisiteur général du royaume de France était mort le nez dans sa soupe. Depuis Gui était obsédé par la malédiction. Tout comme par l'idée de retrouver le trésor disparu des Templiers. Charles ne pouvait le lui reprocher. Outre qu'il espérait bien vivre plus longtemps que ses frères, les caisses du royaume auraient eu grand besoin qu'on les renfloue. Il était intervenu à plusieurs reprises déjà contre les taux d'usure intolérables des Lombards, mais cela n'avait rien changé. Tant que Robert Gui restait loin de Jeanne, sa détermination ne pouvait qu'aller dans le bon sens. Même si Charles IV pensait que le prélat se serait mieux entendu avec le diable qu'il poursuivait qu'avec l'Église qu'il servait.

— Du nouveau, mon père ? demanda son oncle Charles de Valois, qui venait de les rejoindre, satisfait d'avoir résolu la question du mariage et plus encore de soulever celle-ci.

Il avait été l'un des plus ardents à décider de l'arrestation de toutes les Flore Dupin du royaume. Le plus ardent à soutenir Robert Gui. Par ailleurs, puisque l'inquisiteur avait déjà procédé à l'exécution d'une béguine[1] et que les décrets de Vienne[2] avaient condamné leur statut, il lui avait demandé de vérifier discrètement les intentions de Jeanne. L'inquisiteur ne lui adressa pourtant qu'un salut discret avant de planter son œil de rapace dans celui du roi.

1. Marguerite Porete, arrêtée, jugée et brûlée en 1310 par Guillaume Humbert, inquisiteur général du royaume de France.
2. Publiés en 1317 par le successeur de Clément V, Jean XII, sous le nom de Constitutiones Clementinae. Le texte précise toutefois que les femmes pieuses, qu'elles aient ou non fait vœu de chasteté, peuvent honnêtement vivre dans leur maison et y servir Dieu dans un esprit d'humilité. Charles IV reprendra le béguinage sous sa protection.

— Il vaudrait mieux que seule Votre Majesté soit juge des nouvelles que je lui apporte.

Charles se sentit piégé. Une part de lui ne voulait que sauter au cul d'un cheval et déléguer cette affaire à son oncle, quand l'autre savait ne pouvoir se le permettre. La plume avait rendu la malédiction tangible.

— Venez, se résigna-t-il en plantant là ses conseillers.

— Je vous écoute, somma-t-il Robert Gui de parler, une fois qu'ils furent seuls dans la pièce refermée par les hallebardiers.

L'inquisiteur ne s'embarrassa plus de préambule. Il n'avait pas galopé de Rethel à bride abattue pour perdre un temps précieux.

— J'ai trouvé celle que vous cherchiez, dit-il simplement en fixant intensément Charles pour mesurer son effet.

Le roi sentit son cœur s'emballer.

— En êtes-vous sûr ?

— L'homme qui l'a aidée à fuir connaissait les passages secrets templiers. Ce ne peut être une coïncidence.

— En effet. Où est-elle ?

— Pour l'instant je l'ignore. Mais mes hommes ratissent les environs de Rethel. Elle y vivait avec sa famille, des métayers.

Charles se troubla plus encore. Il eût pu jurer que l'inquisiteur avait appuyé son intonation sur le nom de cette cité.

Il sait que Jeanne est la fille de la comtesse de Rethel.

Il déglutit. En une fraction de seconde, il revit ses différents échanges avec sa maîtresse à propos de la traque des Dupin.

Elle ne m'a jamais parlé de cette fermière. Pourquoi?

Tout aussitôt il s'exaspéra contre lui-même.

Douter de Jeanne? Stupide. Huit ans qu'elle a quitté le comté de sa mère. Les Dupin ont pu s'y installer après. Et quand bien même, qui connaît le nom de tous ses sujets?

Il soutint avec défi le regard suspicieux de l'abbé.

— Vos hommes ne sont pas vous. Pourquoi avez-vous rallié Paris?

Robert Gui croisa les mains derrière son dos, comme chaque fois qu'il flairait une faille dans la voix, dans les traits, dans le cœur de son vis-à-vis. Un moyen d'asseoir son implacable autorité.

— Nous avons capturé le fiancé de cette Flore. Vous aviez exigé qu'on vous amène tous les prisonniers, alors j'ai épuisé chevaux et cavaliers pour vous fournir celui-ci. J'ai pris la liberté de le faire conduire dans l'un des cachots de la tour du palais. Ensemble, nous parviendrons bien à lui arracher la liste de tous les endroits où elle a pu se cacher, susurra-t-il avec une jubilation malsaine.

Charles ne la releva pas. Ses pensées galopaient.

Si la Flore de Rethel a damé le pion à Robert Gui, elle a bien eu le temps d'arriver avant lui et de monter dans ma chambre, à Maubuisson. Les caresses de Jeanne vont devoir attendre. Je ne l'aimerai que mieux si toute menace est écartée.

— Je vous suis, décida-t-il en marchant d'un pas ferme vers la porte, la trachée de nouveau chatouillée.

Cette fois, il s'interdit de tousser.

23.

Ville de Reims.

Flore ne cessait de lancer des regards furtifs derrière son épaule. Certes, pour entrer dans Reims, ils avaient déjoué la méfiance des gardes en se mêlant à un groupe de pèlerins. Mais elle ne parvenait à se sentir en sécurité. Les ruelles étroites, sinueuses, de cette ville en forme de haricot, cernée par la Vesle et dominée d'un côté par l'imposant duo que formaient le palais épiscopal et la cathédrale, de l'autre par la basilique Saint-Remi, la mettaient mal à l'aise. Armand, lui, l'entraînait par la main, attentif à ne bousculer personne dans cette cohue qui, très vite, les avait absorbés. Habitué à circuler de la ville aux champs, il connaissait les codes des citadins aussi bien que ceux des paysans. Il louvoyait entre les voitures, les gens, les ruelles. Il contournait une impasse, et là où Flore en voyait une autre, il se glissait, à son bout, sous un passage couvert ou à demi enterré, leur permettant de ressortir plus loin.

À l'approche de la rue des Drapiers, les habitations de bois devinrent plus cossues, certaines offrant des devantures de pierre, affichant la richesse des marchands qui les tenaient. Jamais, de mémoire, Flore n'avait vu de serge plus belle, plus colorée, exposée à la convoitise des passants sous ses formes les plus nobles : couvertures, rideaux, courtines. Quand ce n'étaient simplement des drapés de tissus qui s'entremêlaient.

Il fut un temps où la jeune fille s'en serait ébaubie. Là, elle rasait les échoppes, tirée par la main, craignant d'être séparée d'Armand, de se perdre dans cette multitude qui lui faisait regretter Rethel où tous se saluaient, alors qu'ici elle redoutait qu'on ne la reconnaisse.

— Nous arrivons, lui annonça-t-il enfin en passant sous les arches d'une porte magistrale, vestige de la splendeur romaine.

Ils débouchèrent sur une petite place carrée, cernée par des bâtisses à colombages. Accrochée au fronton de l'une d'elles, une enseigne reflétait l'éclat ardent du soleil, empêchant Flore de deviner ce qui se cachait derrière.

Elle ne le comprit qu'une fois à l'intérieur, le nez soudain fleuri par des parfums de simples. Un homme était juché sur une échelle devant un rayonnage entier de bocaux.

Ses traits s'illuminèrent quand il reconnut Armand.

— Bien le bonjour à toi, Adélys, lui adressa le rémouleur.

L'apothicaire se hâta de descendre pour venir lui porter l'accolade.

Perçut-il le tressaillement d'Armand ? Il s'écarta aussitôt, les sourcils froncés.

— Tu es blessé ? s'étonna-t-il.

Armand écarta le pan de sa cape. Si le cuir de son tablier de rémouleur avait limité l'impact de la flèche, du sang frais le maculait. De nouveau Flore se sentit coupable des efforts qu'il avait dû soutenir pour la mener ici.

D'un pas gaillard, Adélys s'en fut donner un tour de clef à sa porte tout en demandant :

— Depuis quand ?

— Le mitan de la nuit, répondit Armand.

— Il ne faut plus tarder. Viens, décida-t-il en l'entraînant déjà.

Soudain délaissée, Flore resta là, à danser d'un pied sur l'autre, jusqu'à ce que, ne la voyant suivre, Armand s'immobilisât et obligeât son ami à pivoter vers elle.

— Avant que tu ne soignes cette plaie, voici Flore. Flore Dupin.

Elle vit les lèvres de l'apothicaire s'arrondir de surprise sans parvenir à formuler autre chose qu'un :

— Oh !

— Moi aussi je suis ravie, dit-elle, stupidement agacée de découvrir une fois encore que ce nom, si cher au cœur de ses parents, suscitait des réactions aussi inattendues que contradictoires.

Adélys découvrit une rangée de dents soignées.

— Pardonnez-moi, Flore. S'il faut sauver quelqu'un ici, c'est indubitablement votre jolie personne. Mais vous comprendrez que j'aie songé au plus pressé. Venez. Si la vue du sang vous dérange, vous pourrez…

— J'ai vu mon père égorger des cochons, trancher la tête des canards, et quand je ne devais pas recoudre un méchant coup de pioche, c'était une entaille qu'il me fallait panser. Alors je crois que je survivrai, voire même que je pourrai vous aider, débita-t-elle, refusant de laisser imaginer qu'elle était incapable d'autre chose que d'avoir besoin de chevaliers servants.

— Je comprends mieux pourquoi le roi tremble, ne put s'empêcher de rire Adélys en la voyant fondre sur eux d'un pas redevenu énergique.

— Mes parents ont été assassinés et Armand a été blessé. Je ne suis pas fière de ce que j'ai provoqué, messire, et j'ai encore moins le cœur à m'en amuser, le doucha-t-elle, le chagrin ravivé dans sa poitrine.

Il baissa la tête, penaud. Et ne la releva qu'une fois à l'étage. Armand se sentit soulagé. À trop la voir contrôler ses émotions, il avait craint qu'elles ne la rongent.

Elle tressaillit devant son torse dénudé par Adélys et ne put s'empêcher, troublée, de détourner la tête.

— Où puis-je trouver de l'eau ? demanda-t-elle pour reprendre contenance.

— De l'eau ? Voulez-vous le noyer ?

Elle fronça les sourcils, vit l'apothicaire se diriger vers une armoire dont il ouvrit les battants. Il en rapporta deux bouteilles, posa l'une sur la table près de laquelle Armand s'était assis et déboucha l'autre entre ses dents.

— Du vin de messe ? Suis-je donc si près de passer ? le taquina le rémouleur.

— Vu l'ampleur de tes péchés, mieux vaut prévenir.

Flore s'installa sur un tabouret voisin. Elle aurait voulu se laisser tromper par cette fausse désinvolture, y prendre part, partager la complicité évidente qui liait les deux hommes, mais cette boutade venait de la ramener à la réalité. Si peu profonde soit-elle, une blessure par flèche pouvait rapidement dégénérer.

Armand dut lire la peur sur son visage, car il se retint de vider la bouteille pour la lui tendre.

— Une gorgée te donnera du cœur à l'ouvrage.

— Je n'en manque pas, se défendit-elle.

Elle porta pourtant le vin d'Ay à ses lèvres asséchées par la marche, sentit pétiller quelques bulles sur sa langue, sa gorge se détendre sous le flux discrètement sucré.

Lorsqu'elle reposa le récipient, Armand jouait d'une main moite avec un petit cylindre de bois tandis qu'Adélys dénouait les lacets d'une trousse de cuir posée sur la table.

— Je vais avoir besoin de lumière, Flore, réclama-t-il en lui désignant un chandelier.

Elle s'empressa d'embraser une tige d'amadou sur l'une des braises qui rougeoyaient dans l'âtre, incessant feu dont l'apothicaire avait besoin pour préparer ses potions.

Les bougies allumées, elle en éclaira l'épaule musculeuse d'Armand dans le gras de laquelle subsistait un morceau de fer. Son attention fut cependant détournée par une cicatrice qui lui marbrait le sein et que le sang séché avait en partie masquée.

— Je suis coriace, Flore. Plus que tu ne crois, lui sourit Armand pour la rassurer.

— Je confirme, assura Adélys.

Elle n'osa pas leur demander ce que cela signifiait, préféra regarder l'apothicaire ouvrir la seconde bouteille de terre cuite et plonger dans son large goulot la tête d'une pince effilée.

— Qu'est-ce ?

— Des fleurs de lys en macérat. C'est... souverain, plaisanta-t-il à peine.

— Je connais, oui. Ma mère en préparait.

— Alors vous connaissez leur pouvoir. D'ici à quelques heures vous pourrez choisir de reprendre votre route ou de jouir de mon hospitalité. Mais ce ne sera plus contraints et forcés. Prêt ? demanda-t-il à Armand.

Flore le vit coincer le morceau de bois entre ses dents puis détourner la tête en direction de la fenêtre qu'Adélys tenait fermée à cause de la chaleur.

Lors, comme lui, sous la morsure de la tenaille humide, elle se crispa pour ne pas vaciller.

24.

Abbaye de Maubuisson, près de Pontoise.

Jeanne de Dampierre n'avait cessé de scruter les bas-côtés de la route dans l'espoir de retrouver son aumônière ailleurs que là où tout l'accuserait.

Avant d'arriver en vue de l'abbaye, elle obliqua à droite au dernier carrefour pour la contourner par la forêt comme la veille. Elle pénétra sous la futaie, cette futaie qui avait autrefois abrité tant de malandrins qu'on l'avait surnommée « buisson maudit », avant que Blanche de Castille n'en fasse Maubuisson. Son œil détailla les creux, les bosses, avec la même minutie qui lui avait fait perdre plus de deux heures sur le trajet. Elle parvint à la clairière, descendit de cheval, refit le chemin jusqu'à la lisière du bois sans meilleur résultat.

Elle hésita à aller plus loin. Des paysans travaillaient au champ qui lui faisait face. Elle devrait le traverser pour gagner la poterne. C'était assez inhabituel pour qu'on le remarque et qu'on en jase.

Je ne peux pas prendre ce risque, se désola-t-elle.

Elle opta pour la solution la plus raisonnable : passer le portail de l'abbaye et se confronter à ses craintes.

Tout se passera bien si tu te comportes comme à l'accoutumée. Charles serait déjà venu te demander des comptes si l'aumônière avait été retrouvée sous sa fenêtre. Non, le plus vraisemblable demeure qu'elle s'y trouve encore. Après tout, il faisait nuit quand ils ont dû emporter le garde ! Et si l'on me surprend à la ramasser, je pourrai toujours dire qu'elle vient de tomber. Qui osera me contredire ?

Ragaillardie, elle remonta en selle et rejoignit la grand-route. Lorsqu'elle se présenta aux portes de l'abbaye, ce fut avec le sourire aux lèvres, certaine de recevoir le même accueil pincé que d'ordinaire. Les conseillers de Charles n'étaient pas les seuls à désapprouver sa relation avec lui depuis qu'il portait la couronne, les cisterciennes du lieu la trouvaient déplacée. Pour les mêmes raisons.

La tête haute, elle longea la grange affectée à la collecte de la dîme, immense rectangle qui rappelait que cent mille gerbes pouvaient s'y tenir, et se dirigea vers la résidence royale, à l'écart des bâtiments monastiques.

Parvenue dans la cour, Jeanne vit aussitôt le palefrenier et l'intendant se précipiter vers elle.

— Bien le bonjour, Abélard, salua-t-elle ce dernier, un échalas au cou anormalement long.

— Madame, s'inclina-t-il, tandis qu'elle descendait de monture.

— Annoncez-moi à Sa Majesté, je vous prie !

— Las, madame, ce me sera difficile. Sa Majesté est repartie au petit jour avec son escorte.

— Voici qui est contrariant, fit-elle mine de bouder, embarrassant cette ficelle en livrée.

— Par cette chaleur, madame prendrait sans doute un rafraîchissement, proposa-t-il en voyant qu'on menait son cheval, écumant, à l'abreuvoir.

— Ce ne sera pas de trop en effet, soupira-t-elle.

Elle fit quelques pas derrière lui en direction de la résidence royale, avant de s'immobiliser.

— Faites-moi servir sous le vieux chêne. Puisqu'il me faut repartir bientôt autant que je me délasse en attendant.

— Comme madame préfère.

Le temps qu'il s'active, j'en aurai terminé, se félicita-t-elle en le laissant filer.

Un regard alentour lui confirma qu'on se désintéressait d'elle. Elle se pressa, bien déterminée à pousser jusqu'à la poterne si besoin était. Aussitôt parvenue au pied de la tour, elle fouilla le buisson, ramenant à elle un parfum mielleux.

Rien.

Elle recula de quelques pas, releva les yeux vers la fenêtre désormais fermée, s'attarda sur les feuilles et les branches du lierre.

— Serait-ce votre aumônière que vous cherchez ? l'accusa une voix derrière elle.

Saisie, elle pivota.

Guillaume de La Broce !

Il affichait un sourire qu'elle jugea narquois, conforme à l'inimitié qu'il avait toujours affichée à son égard.

Il sait. Et n'attendait que de me voir surgir pour me capturer. Reprends le dessus, Jeanne. Reprends le dessus ou tu es faite.

Domptant les battements indisciplinés de son cœur, elle le toisa.

— Je n'ai aucune raison de chercher ce que je n'ai pas perdu : l'amour du roi.

Elle lui tourna aussitôt le dos. Elle ne fit pas trois pas pourtant qu'il la retint par le bras, la forçant, anxieuse, à soutenir son regard de jais.

— Mon oncle était chevalier de l'ordre du Temple. Je connais votre engagement mais il est trop tard pour vous. Vous êtes découverte. Fuyez.

Troublée, elle se dégagea violemment et s'éloigna.

Un valet arrivait, porteur d'un plateau sur lequel se dessinaient une carafe et un hanap.

Jeanne l'ignora, le laissant se planter sous l'arbre dans l'attente d'un ordre qui ne viendrait jamais. Un bref regard par-dessus son épaule lui montra Guillaume de La Broce, toujours immobile au pied de la tour. Aussi perplexe qu'angoissée, elle réclama un cheval frais et, sitôt en selle, le lança au grand galop.

Elle devait agir au plus vite.

Partir. Quitter Charles. Le condamner par mon absence. N'était-ce pas ce que j'avais décidé ? Maintenant ou plus tard, quelle différence ?

Alors pourquoi, soudain, avait-elle envie de pleurer ?

25.

Reims.
Boutique de l'apothicaire Adélys.

Flore passa une main lasse sur son front moite. En cet après-midi du 16 juillet 1322, la température avait forci et pas un souffle d'air ne perçait les croisées du logis d'Adélys. Sitôt la pointe de flèche extirpée de l'épaule d'Armand, l'apothicaire avait appliqué une fleur de lys sur la plaie avant de bander solidement le muscle et la poitrine. Le courage d'Armand avait touché Flore. Pas un gémissement, à peine un voile de sueur sur ses traits, et cette mâchoire volontaire, crispée sur le bâtonnet de buis. Depuis il dormait dans la pièce voisine, récupérant ces heures que la fuite, le combat et sa propre résistance à vouloir la sauver lui avaient volées.

Flore s'était assoupie aussi, sur une cathèdre[1]. À son réveil, elle avait entendu des voix en contrebas, preuve que l'apothicaire avait rejoint ses clients.

1. Chaise à très haut dossier et accoudoirs.

Elle s'était levée sans bruit pour se porter devant la fenêtre, scruter ces rues en contrebas que la chaleur semblait avoir figées. Elle ventila ses joues tiraillées par la sécheresse.

Les désagréments de la ville, songea-t-elle, l'esprit soudain happé par cette campagne, cette vie qu'elle avait laissée derrière elle.

Papa. Maman…

De nouveau une larme affleura. Elle la chassa d'un battement de paupières. S'y abandonner c'était manquer de respect à cet homme couché à quelques pas d'elle. Mais la douleur était là, vicieuse, profonde, la douleur d'un deuil qu'on lui avait interdit de faire et qu'elle ne pouvait désormais s'accorder. Si encore elle savait pourquoi ! Mais Armand avait été succinct dans ses explications, quand il était évident, au vu de l'accueil qu'elle avait reçu ici, qu'il en savait plus sur cette malédiction qu'il ne l'avouait. Elle entendit des pas remonter l'escalier et se détacha de la contemplation de l'ancienne porte romaine sous laquelle quelques miséreux s'abritaient du soleil.

— Il dort toujours, constata Adélys en franchissant le seuil.

— Je me suis reposée aussi.

— Fort bien. J'ai préparé ceci, dit-il en lui tendant un bol aux senteurs fleuries.

Elle le porta à ses lèvres avec un sourire reconnaissant.

— Des sommités de camomille, de passiflore et de pavot. Parfait après de si fortes émotions. Je n'ai rouvert boutique que le temps de servir quelques clients. Me voici tout à vous.

— Si vous êtes curieux de découvrir quelque chose sur moi, sachez que je le suis tout autant, soupira-t-elle après une gorgée du breuvage.

Il s'installa sur le coin d'un banc, croisa ses longues jambes. Flore ne lui donnait pas plus d'une trentaine d'années. Comme Armand.

— Comment vous connaissez-vous ? demanda-t-elle.

— Du Temple. Il était l'écuyer de Jacques de Molay, moi celui de Pierre de Charnay, le dernier commandeur de l'Ordre pour le bailli de Normandie. Nous sommes devenus amis lorsque tous deux ont été arrêtés.

— Pourquoi n'avez-vous pas subi le sort de vos maîtres ?

— Ce jour-là, le destin nous avait placés en courses pour eux, à des endroits différents. Lorsque nous avons appris leur arrestation, nous nous sommes cachés. Comme beaucoup d'autres. Une sorte de communauté de l'ombre qui se retrouvait en secret dans l'espoir que les accusations seraient levées. Après la mort de Guillaume Humbert qui instruisit le procès du Temple, Robert Gui l'a remplacé. J'ignore comment il a su pour Armand, mais il a réussi à l'arrêter. Il l'a torturé.

Elle déglutit.

— La cicatrice à son sein…

— Une tenaille. Armand a réussi à échapper à la surveillance de son bourreau et à s'enfuir.

Elle frissonna, se laissa choir sur un tabouret.

— Je comprends mieux pourquoi il a mis tant de vigueur à me soustraire à lui.

L'apothicaire s'accroupit devant elle pour lui prendre les mains.

— Pendant plusieurs années, Armand et moi avons vécu sous de faux noms et puis l'Ordre a été dissous, nos maîtres exécutés et l'Inquisition a cessé ses poursuites. J'ai ouvert cette boutique, d'autres ont repris le métier de leurs pères, comme Armand. C'est un homme d'honneur. Et croyez-moi, vous êtes quelqu'un de précieux, Flore.

— Mais je ne sais toujours pas pourquoi, soupira-t-elle en plantant son regard pervenche dans le sien.

Adélys lui sourit avec bienveillance.

— Parce qu'avant de mourir...

— ... le précédent roi, Philippe le Long, a prononcé mon nom, oui, je sais. Vous ne me direz rien de plus, n'est-ce pas ?

— Ce n'est pas à moi de le faire. Et pas à Armand non plus.

— Alors à qui ? Mes parents sont morts. Comment surmonter ça si je ne sais même pas à cause de quoi ? gémit-elle.

— Armand vous épaulera. Faites-lui confiance, Flore. Il ne veut que votre bien. Et votre bien, aujourd'hui, et tant que vous n'êtes pas totalement en sécurité, c'est d'en savoir le moins possible.

— On clabaude dans mon dos ?

Ils tournèrent la tête de conserve. Armand s'était appuyé contre le chambranle du passage qui menait à l'autre pièce. Malgré sa barbe et ses cheveux en bataille, il leur sembla avoir regagné en superbe. Peut-être à cause de ce franc sourire qui avait si souvent fait chavirer le cœur de Flore.

Cette fois encore, malgré la douleur qu'avait réveillée cet échange avec Adélys, elle le sentit palpiter dans sa poitrine.

Lui faire confiance. Oui.

Adélys s'était déjà levé pour marcher sur lui.

— Comment te sens-tu ?

— Prêt à reprendre la route. Rester c'est te mettre en danger.

— Je sais. Mais hors de question que vous repartiez sans le meilleur des repoussoirs à sergents.

— C'est-à-dire ? s'étonna Flore en le voyant se diriger à nouveau vers son armoire.

— Un vieux stratagème. On lui montre ?

Armand hocha la tête. Et tandis qu'Adélys ouvrait un nouveau flacon, répandant aussitôt une odeur pestilentielle dans la pièce, il reprit sa place sur le banc.

Curieuse, Flore s'approcha à son tour.

Elle le vit tendre la joue vers la pâte nauséabonde qu'Adélys avait recueillie sur une spatule de bois, grimacer sous ce contact tandis qu'une fumée noire emportait sa peau. La seconde suivante, il n'en restait qu'une plaie immonde.

Flore ne put retenir un pas en arrière.

— La malemort ! Vous lui avez appliqué la malemort ! s'exclama-t-elle en se signant, leur arrachant aussitôt le même sourire.

— L'apparence seulement. Elle s'estompe en quelques jours, le temps qu'il nous faudra pour échapper à Robert Gui, assura Armand en se redressant.

— Je suppose que c'est mon tour, frissonna Flore.

Un hochement de tête, un voile de tristesse dans leur regard suffirent à Flore pour qu'elle se crispe.

Elle s'assit néanmoins, bien décidée à se grimer, fût-ce de si détestable manière.

La main d'Armand se posa sur son épaule.

— C'est douloureux. Prépare-toi.

Elle voulut lui prouver qu'elle en était capable, mais lorsque le magma grouillant attaqua sa chair, elle ne put retenir ce sanglot, tant de fois repoussé.

Comme s'il fallait enfin qu'il crève là où la mort noire l'avait caressée.

26.

Paris.

Cachot du palais de la Cité.

Un hurlement déforma une fois de plus les traits de Gabriel. Il s'éteignit dans son souffle, tandis que l'odeur du sang remontait dans ses narines dilatées par sa respiration saccadée. Le teint gris, le front ruisselant de sueur et l'œil égaré, il laissa sa tête retomber sur sa poitrine écorchée.

— Pour te mettre en condition avant l'arrivée de notre bon sire, lui avait susurré le bourreau quelques minutes plus tôt.

Terrorisé par cette lame qui approchait, Gabriel s'était agité entre les fers qui, aux mains et aux pieds, le maintenaient solidement debout. Il s'était ratatiné sur la planche épaisse contre laquelle on l'avait écartelé, comme si elle avait pu l'avaler, le faire disparaître. Il avait invoqué la Vierge, supplié cet homme, ce géant aux bras velus, privé d'émotion.

Rien n'y avait fait.

Avant même de savoir ce qu'on attendait de lui, il avait senti sa peau se décoller lentement de sa chair, et n'avait dû qu'à l'expérience du tourmenteur de ne pas s'évanouir sous la douleur.

Il n'en avait jamais connu de semblable, lui que la jeunesse et la vigueur avaient préservé des maladies, des chutes, des déboires. Et n'avait jamais conçu l'éprouver un jour. À peine s'était-elle estompée que le bourreau dessinait une nouvelle bande fine, augmentant la pression dans ses veines, la panique dans ses yeux détrempés. Il crut qu'il n'aurait plus de voix pour hurler.

Il se trompait.

Malgré les menaces du bourreau, il s'était cru sauvé lorsque le roi avait descendu l'escalier qui menait à cette salle étroite, éclairée par des torches et le rougeoiement des braises dans un trépied. Mais l'inquisiteur se tenait derrière lui, un sourire triomphant aux lèvres. Et Gabriel s'était senti plus perdu encore.

D'autant que depuis leur arrivée, ces deux-là restaient à distance, le regardant se tordre de souffrance, comme s'ils n'attendaient de lui que d'en jouir. En jouir et rien d'autre.

Il avait cessé de demander pitié.

— Assez, entendit-il enfin tonner sous cette voûte austère.

Il releva la tête, enclin soudain à bénir cette voix royale quand, la seconde précédente, il en vomissait l'existence.

Il vit avec soulagement le bourreau s'écarter, le roi rompre la distance qui les séparait et se planter devant lui, la mine sombre.

— Sais-tu pourquoi tu es là ? demanda Charles IV que l'inquisiteur avait invité, dans l'intérêt de l'interrogatoire, à ne pas intervenir plus tôt.

Une larme roula sur la joue de Gabriel.

Avouer me vaudra sa clémence, pensa-t-il. *Avouer ce que je suis, mais pas ce qu'ils croient. Non, pas ce qu'ils croient. Sinon, ils vont continuer, encore et encore, jusqu'à m'extraire Satan du corps.*

Cette seule perspective lui arracha une nouvelle suée. Il roula des yeux sous l'emprise de ce roi qui semblait vouloir le sonder jusqu'en son âme, avant de hoqueter :

— Je n'ai jamais fait le mal, Votre Majesté. Je n'ai jamais loué le diable. Il me vient de Dieu. Seulement de Dieu. Qui pourrait en douter ? J'ai soulagé tant de gens. Et même le curé. Il m'a toujours affirmé que c'était bénédiction.

Charles fronça les sourcils. Un regard latéral lui révéla la même surprise sur le visage ingrat de l'inquisiteur.

— De quoi parles-tu, mon garçon ? s'adoucit-il.

— Vous le savez bien, Votre Majesté. Du don que j'ai reçu à ma naissance. Là dans mes mains. Il suffit que je les applique et toute douleur fond. Pitié, Votre Majesté. Je ne suis qu'un modeste meunier. Pas un sorcier, non, pas un sorcier…, s'étouffa sa voix dans un sanglot.

Un instant Charles vacilla sur ses certitudes.

— Te prétendrais-tu thaumaturge ?

Le souffle saccadé de Gabriel répondit aux élancements de sa chair.

Thaumaturge ? Comme les rois ?

Il frissonna. Non. Il voulait juste reprendre sa vie d'avant, libre, innocenté. Quitte à ne plus jamais imposer les mains sur quiconque.

Livide, il chevrota :

— Non, Votre Majesté. Je ne suis qu'un rebouteux. Né de la volonté de Dieu, et seulement sa volonté, je le jure.

— Je te crois…, lâcha Charles dans un soupir, mais ce n'est pas pour cette raison que tu es ici.

L'espoir soulevé mourut au cœur de Gabriel. Il se mit à trembler de tous ses membres, tandis que son esprit, désorganisé par la souffrance, peinait à découvrir la moindre raison qui lui valût la question.

— Flore Dupin, lâcha le roi devant son air égaré.

Gabriel le sembla plus encore.

— Flore ?

Charles se tourna vers l'inquisiteur.

— Ne lui avez-vous donc rien dit ? s'agaça-t-il.

— Pour ne point lui laisser le temps de composer sa version.

Gabriel eut l'impression que son monde, tout son monde, basculait dans le néant. Un sentiment d'injustice remonta dans ses veines, lui donnant soudain la force de défendre cette vie qui ne tenait plus qu'à un fil.

— Quelle version ? Pourquoi me parlez-vous de Flore ? Sire, mon bon sire, je jure sur la très sainte Vierge ne rien comprendre. On m'a saisi à mon moulin, alors que je remplissais mes sacs de farine, et aussitôt emporté, la tête encapuchonnée, les mains liées au dos sur un cheval, pour finalement me torturer là, devant vous. Dieu m'est témoin que je n'ai rien à dire, sinon que Flore est ma promise, que nous nous sommes disputés et que je m'apprêtais à descendre chez elle, autant pour lui demander pardon que pour soigner son père d'un méchant tour de reins.

— Alors apprends que les Dupin sont morts et ta promise en fuite.

Gabriel écarquilla des yeux ronds, injectés de sang.

Les Dupin, morts ? Flore en fuite ?

Un instant il se demanda si le soleil de Rethel n'avait pas cogné trop fort sur sa tête, lui faisant perdre connaissance, l'entraînant dans ce cauchemar. Si ce n'était point là sa punition pour avoir voulu forcer Flore.

Charles IV s'attarda sur son air ahuri, ses narines dilatées, cette veine gonflée qui pulsait méchamment à sa tempe, ce front plissé par l'incompréhension.

Un pauvre hère. Tout au plus. Que la folie peut emporter si l'on n'y prend garde, jaugea-t-il.

Il réclama de l'eau au bourreau, se saisit de la louche que ce dernier lui tendit et la porta lui-même aux lèvres sèches de Gabriel. Il vit passer de la reconnaissance dans son regard.

Assez pour qu'il soit enclin à répondre ?

Il attendit que Gabriel ait fini de boire pour reprendre :

— Un homme a aidé Flore à échapper à la justice. Un rémouleur. Sais-tu qui il est ?

Le geste du roi, le ton posé de sa voix ajoutés au bienfait de cette eau tiède avaient apaisé Gabriel, mais pas son sentiment d'incompréhension. S'il ignorait ce qu'on reprochait à Flore et à quel titre le rémouleur était impliqué dans cette affaire, l'intérêt qu'y portait le roi lui vaudrait, à lui, supplice ou pardon.

Il répondit sans détour :

— Je n'en connais qu'un, qui vient trois, quatre fois l'an à Rethel. Armand. Armand d'Arcourt. Mais tout cela n'a pas de sens, Votre Majesté. Flore est l'être le plus doux du monde.

— Alors pourquoi se serait-elle empressée de fuir avec un ancien Templier ? lui objecta Robert Gui, que le nom d'Armand venait de faire sortir de ses gonds.

Cette fois, Gabriel resta sans voix. Indifférent à l'agacement du roi, l'inquisiteur se dressa dans son champ de vision, l'œil implacable.

— Peu m'importe que tu sois innocent ou complice. Je veux savoir où ils sont allés, où ils se cachent. Et tu vas me l'apprendre. De gré ou de force.

Gabriel sentit un vent de terreur lui balayer le visage. Il ne sut que bredouiller :

— Je… Je…

— Bourreau ! entendit-il, au comble de la panique.

— Non. Non. Je ne sais rien. Pitié ! hurla-t-il en voyant son tourmenteur plonger un fer dans les braises.

— Parle ! insista Robert Gui d'un ton sans appel, forçant de facto Charles IV à reculer avec lui.

— Je ne sais rien, je ne sais rien, sanglota Gabriel en roulant des yeux fous. Votre Majesté…

Sa supplique mourut dans le grésillement de sa peau.

En le voyant s'évanouir, Charles se demanda jusqu'où, lui, en pareilles circonstances, soutiendrait Jeanne. Un frisson le parcourut.

— Réveillez-le, ordonna Robert Gui à ses côtés.

— Je doute que nous en tirions quoi que ce soit, objecta Charles dans un raclement de gorge.

Un sourire, cynique.

— Votre sensibilité vous honore, sire. Quant à moi, j'ai depuis longtemps appris à contenir la mienne pour votre seul intérêt. Si l'exercice vous est trop pénible…

Charles IV le toisa de son mépris mais ne tourna pas les talons.

Gabriel venait de reprendre connaissance en cherchant cet air que l'eau glacée sur son visage avait remplacé. L'instant d'après, ce sursaut s'éteignait à nouveau dans un hurlement de damné.

Durant de longues minutes, ils ne parvinrent à lui arracher que des larmes, des suppliques : il n'avait jamais entendu dire qu'Armand fût templier avant d'être rémouleur. Flore était douce et bienveillante. Il ne comprenait pas pourquoi elle s'était enfuie, pourquoi on la traquait. Il l'aimait. Mais il était prêt à avouer tout ce qu'on voudrait, des lieux, des dates, des actes, pourvu que son calvaire cesse.

Robert Gui semblait prêt à le ronger jusqu'à l'os pour qu'il change de discours. Charles, lui, n'aspirait plus qu'à s'éloigner de ce corps que l'on brûlait, tenaillait, découpait.

Gabriel n'était plus qu'une ombre au souffle rare, à l'esprit vacillant, mais son amour pour Flore respirait dans cette pièce et le roi y avait reconnu la puissance de celui qui battait en ses veines pour Jeanne. Il le savait par expérience. Un tel amour ne pouvait être brisé.

Lorsque l'inquisiteur assura qu'ils n'en tireraient plus rien à moins de le passer au chevalet, une incontrôlable poussée arracha Charles à sa passivité.

— Il suffit, arrêta-t-il le bourreau. Détachez-le. Je veux qu'il soit ramené dans sa cellule, nourri, abreuvé et soigné.

Tuant l'amorce d'une remarque sur les lèvres de Gui, il le tança d'un geste comminatoire.

Robert Gui s'inclina. Mais Charles ne fut pas dupe. Il n'approuvait pas.

27.

Paris.
Grand béguinage royal.

Tandis que Jeanne de Dampierre avalait les lieues qui la séparaient de Paris, son esprit, rongé d'angoisse, avait cavalé au rythme de sa monture.

Son aumônière ayant été découverte, Charles ne serait pas long à exiger des explications. Or, plusieurs jours étaient nécessaires au sortilège pour agir. Durant ce laps de temps le charme était fragile. Un rien pouvait le briser. Et Charles éprouvait une peur viscérale de la malédiction. Elle se souvenait trop bien à quel point il devenait pâle, les narines pincées, chaque fois qu'ils en parlaient.

Hier encore.

À l'idée qu'il soit déjà là, chez elle, à l'attendre, elle avait dû se faire violence pour ne pas céder à la panique. Elle avait pourtant réussi à se calmer. L'agression du garde avait dû obliger le roi à réunir son Conseil plus tôt, à examiner les faits.

J'ai le temps de rentrer chez moi, d'y récupérer de la monnaie et des vêtements, s'était-elle rassurée. Même si quelques heures de répit ne la disculperaient pas : Charles allait être forcé d'admettre le lien qui existait entre elle, l'assassinat du garde, la découverte de l'aumônière et la plume.

Si amoureux soit-il, il la ferait arrêter.

Guillaume de La Broce avait raison. Elle devait fuir. Maintenant. D'autant plus vite que, fût-il ébranlé par les faits ou les preuves, son absence le tuerait.

Perdue pour perdue, autant finir ce que j'ai commencé.

L'heure n'était plus au remords.

Le pas vif malgré la chape de chaleur qui plombait Paris, elle repassa une nouvelle fois la poterne des Barrés et gagna son logis. Bertrade se tordait les mains d'angoisse derrière la porte.

Cette fois Jeanne ne pouvait plus la tenir à l'écart. Elle la prit aux épaules, planta dans son œil apeuré un regard qui se voulait déterminé.

— Je nous ai mises en danger cette nuit, ma bonne. Boucle volets et portes et rassemble tes affaires. Il faut partir le plus vite possible.

Cela suffit à Bertrade. Elles se précipitèrent l'une derrière l'autre dans l'escalier, le chaton sur les talons, comme un diable à leurs trousses.

Abandonnant les tas de sel au jeu de ses pattes, Jeanne arracha les draps trop lisses indiquant qu'elle n'y avait pas dormi, frappa l'oreiller puis réunit tout ce qui lui avait servi à pratiquer l'envoûtement. Elle prit soin de ne rien négliger, ni le papier dans lequel la cire avait été enveloppée, ni le mortier de buis, ni la poudre d'encens. Elle plaça le tout dans la cheminée en se reprochant intérieurement de ne pas l'avoir déjà fait, puis frotta son briquet. L'amadou ne tarda pas à s'enflammer, communiquant sa chaleur au charbon puis aux planchettes et enfin aux objets. Elle s'attarda quelques secondes devant cette fumée qui montait tantôt noire, tantôt blanche dans le conduit, l'esprit en ébullition.

Même si le conseil de Guillaume de La Broce était avisé, elle avait du mal à se prononcer sur ses intentions. Elle l'avait toujours pensé son ennemi. Il aurait pu appeler la garde, la faire saisir, enfermer sur-le-champ. C'eût été profitable à sa carrière. Alors pourquoi l'avoir laissée partir ? À cause de cet oncle templier ?

Piètre argument. Il prétend connaître mon engagement, mais comment l'aurait-il découvert ? Rien n'a filtré d'entre ces murs et jamais il n'y a mis les pieds. Bertrade ? Ce serait contraire à tout ce que je sais d'elle, à l'affection qu'elle me porte, qu'elle porte à ma mère, se convainquit-elle en se précipitant à la fenêtre, alertée par le hennissement d'un cheval.

Le cœur bousculé dans sa poitrine, elle écarta discrètement le rideau pour regarder dans la rue. Ce n'était qu'un quidam qui cherchait le fauconnier dont l'élevage était prisé. Mais cela avait suffi pour qu'à son tour Bertrade se sente en alerte.

— Tout va bien, l'apaisa Jeanne à peine se fut-elle encadrée dans la porte.

Bertrade se précipita sur sa malle et commença à en arracher cottes, ceintures et bijoux, aussitôt rejointe par le minet.

Jeanne arrêta son élan, repoussa le chat d'une main impérieuse.

— Il me faut voyager léger. Une seule tenue dans un sac discret. Et tous les objets de valeur dans un autre.

Un hochement de tête. Jeanne ne desserra pas les doigts. Au contraire, la tenaille se renforça malgré elle sur ce coude rond.

— Je ne peux pas t'emmener avec moi, Bertrade.

Elle vit les traits de la vieille femme se décomposer.

— Si l'on me prend, je serai soumise à la question et probablement condamnée. Je ne veux pas que tu subisses le même sort.

— Herrahhjmmeoo...

— Non. Pas cette fois.

Flore l'attira dans ses bras, les larmes au bord des yeux.

— Retourne chez ton frère et restes-y cachée. Si tout se passe bien, je t'y rejoindrai. Sinon, n'évoque plus jamais mon nom ni celui de ma mère. Va... Maintenant !... Je saurai me débrouiller.

Elle la repoussa.

— S'il te plaît, Bertrade. Je peux assumer ce que j'ai fait, pas te condamner.

Un triste sourire fleurit au milieu des larmes de la vieille servante. Jeanne n'avait pas vécu un seul jour sans elle.

— Eeemmm...

— Moi aussi je t'aime, chevrota Jeanne en la serrant de nouveau contre elle. Va... Va !

Elles s'arrachèrent l'une à l'autre. Jeanne ne se retourna pas. Elle entendit le miaulement du chat que l'on emporte, le bruit du baluchon que l'on ramasse, celui du pas lourd dans l'escalier puis de la porte qui se referme.

Elle refoula un sanglot puis actionna le mécanisme qui ouvrait le tiroir secret de son secrétaire. Elle y récupéra la liste de sa mère. Cette liste qui avait tout changé.

Elle la jeta aux flammes, attendit qu'elles l'aient consumée puis prépara en hâte son nécessaire, refusant cette fois de perdre de précieuses secondes à s'inquiéter des bruits en provenance de la rue.

Revenue au rez-de-chaussée, elle rabattit le capuchon sur son front et affirma la sangle de sa besace sur l'arrondi de son épaule. Elle quitta sa maison en ayant soin de boucler les deux portes.

Au moins, songea-t-elle, *Charles perdra-t-il du temps à les faire ouvrir.*

Un temps précieux qui lui laisserait celui de filer.

Un coup d'œil en amont de la rue la lui révéla semblable à l'accoutumée avec son flot bruyant. Elle avait déjà échangé sa monture contre une fraîche. Elle n'eut qu'à la détacher de l'anneau où elle l'avait laissée, puis à se jucher en selle, soulagée de voir que le fauconnier était trop occupé à charger ses cages emplies de volatiles dans une charrette pour s'inquiéter d'elle.

Elle lui tourna le dos, remonta la rue au trot et passa la garde.

Moins de dix minutes plus tard, le cœur serré, elle rejoignait la grand-route en direction de Rethel.

28.

Route de Paris.

Trois jours, lui avait dit Armand. Il leur faudrait trois à quatre jours pour gagner Paris. Au bout de quelques heures de marche, elle se demandait s'il n'en faudrait pas dix tant son pas s'était ralenti, tant sa langue collait à son palais, tant elle devait plisser les yeux.

Le soleil de ce milieu d'après-midi cognait, impitoyable, sur les pierres blanches du chemin. Flore avait pensé retrouver un semblant de fraîcheur dans ces vallons boisés que traversait l'ancienne voie romaine. Mais sitôt qu'ils quittaient le couvert des arbres, il leur semblait qu'une lame de feu tombait sur leurs épaules, sur ces joues mangées par la mixture d'Adélys, et rien, pas même leurs capuchons, ne parvenait à les en préserver.

Elle mit la main à sa ceinture, détacha la vessie et la porta une fois de plus à ses lèvres sèches, mais déjà elle savait qu'elle n'en recueillerait qu'une infime gorgée.

Inutile d'espérer qu'un voyageur m'offre de partager la sienne.

Les hardes dont ils s'étaient couverts pour compléter leur apparence de lépreux attiraient autant de dégoût que de méfiance.

Combien de temps tiendrai-je sans boire ? s'angoissa-t-elle en détaillant le paysage alentour.

À perte de vue, ce n'était que coteaux ruisselants de vigne ou parcelles de bois dont certaines feuilles, de rouge et d'or au milieu de la verdure, craquelaient déjà. Rien n'annonçait un point d'eau à proximité.

Armand coula un regard dans sa direction. Elle avait à peine ralenti son pas, pourtant il devina son angoisse à la manière dont elle rattacha la gourde à sa ceinture. S'il avait économisé le contenu de la sienne, c'était bien insuffisant pour deux.

— Nous trouverons un puits dans le village dont tu aperçois le clocher, derrière ce mamelon, la rassura-t-il.

— N'est-ce pas risqué ?

L'année précédente, le roi Philippe V le Long avait fait exterminer les lépreux de France, convaincu qu'en buvant ils empoisonnaient les puits. Cela n'avait pas réussi à le sauver de la malédiction du Temple, mais la méfiance était restée.

— Nous avons croisé beaucoup de gens dans les champs. Et puis nous n'avons guère le choix.

Un regain de courage emporta aussitôt Flore. Refusant de perdre le bénéfice des quelques gouttes qui avaient rafraîchi sa gorge, elle se contenta de le remercier d'un chaleureux sourire avant d'emprunter dans son sillage un sentier de chèvre.

Un quart d'heure plus tard, ils s'insinuaient entre des maisons de bois aux volets et portes fermés. Le temps semblait avoir été suspendu dans ce halo brûlant. Flore s'en félicita. La place de l'église au milieu de laquelle se dressait le puits était déserte. Elle se précipita sur le manche de la poulie. À peine s'en fut-elle emparée que la main d'Armand recouvrit la sienne.

— Je vais le faire.

— Et forcer sur votre épaule ? Certainement pas !

Il la laissa plonger le seau à l'intérieur du cylindre de pierres, mais bloqua son mouvement pour le remonter.

— Je n'ai besoin que d'une main quand tu vas abîmer les tiennes. Je te promets de ne pas aggraver ma blessure et, par là, nous mettre en danger.

Elle hésita puis céda devant son regard déterminé. De fait, il avait raison. Le moindre effort supplémentaire lui coûterait plus qu'elle ne l'avouait. Elle n'aspirait qu'à boire, boire encore jusqu'à ce que son estomac ne puisse plus rien recevoir.

Esclave de sa faiblesse quand elle avait toujours été si forte, elle s'appuya contre les moellons, profitant du filet d'ombre que la silhouette massive d'Armand lui offrait. Elle le regarda manœuvrer le treuil, retrouvant dans sa dextérité celle du rémouleur d'hier qui repassait les lames tout en faisant tourner la meule.

— Bois lentement et autant qu'il le faudra. Je peux attendre, dit-il en lui tendant la louche.

Elle se désaltéra longuement puis, dans un soupir de soulagement, s'assit par terre. Elle voulait se donner le temps que cette eau bienfaisante l'inonde, irrigue chaque parcelle de son corps avant d'en avaler encore pour tenir jusqu'au prochain arrêt. Au-dessus d'elle, Armand buvait désormais à pleine bouche, indifférent aux filets d'eau qui ruisselaient sur sa chemise. Le soleil jouait sur sa chevelure, irisant de saphir quelques mèches rebelles tandis que le contre-jour volait à Flore ses traits abîmés par l'onguent d'Adélys.

Elle dissimula son trouble derrière cette question que la soif l'avait découragée de poser jusque-là :

— J'ai besoin de savoir, Armand. Savoir au moins pour quelle raison votre oncle prendrait soin de moi en Angleterre.

Il hocha la tête, conscient qu'à défaut de pouvoir tout entendre elle devait connaître la valeur qu'elle avait aux yeux de tous, amis comme ennemis.

— Il se trouvait au Temple quelques jours avant que le roi ne lance son offensive contre les chevaliers. Jacques de Molay savait qu'elle était imminente.

— Pourquoi ne s'est-il pas enfui ? demanda-t-elle.

— Il l'aurait pu, mais il a préféré faire face aux accusations de sorcellerie qui pesaient contre l'Ordre. Il était certain qu'elles ne tiendraient pas longtemps.

— Il s'est cruellement trompé.

— En effet. Les caisses du royaume étaient vides et Philippe le Bel entendait bien les remplir. Jacques de Molay l'avait deviné. Il laissa donc au roi de quoi se satisfaire et confia à mon oncle le soin de cacher le restant du trésor. Un trésor bien plus grand et précieux...

L'attention de Flore était captée.

— … Un anneau sigillaire[1], des documents et cartulaires[2], ainsi que dix-sept coffres emplis de pièces d'or datant de l'époque d'Aurélien, un empereur romain.

Elle écarquilla les yeux.

— Une fortune…

— Qu'ils sont toujours nombreux à convoiter. Charles IV le premier. Donne-moi ta gourde, demanda-t-il en détachant la sienne de sa ceinture.

Il entreprit de les remplir, l'une après l'autre, puis lui tendit à nouveau la louche.

— Tout cela ne me dit pas pourquoi votre oncle consentirait à m'aider, moi, la simple fille d'un paysan, insista-t-elle en portant l'eau à ses lèvres.

— À cause de l'anneau sigillaire romain…

Elle buvait autant ses paroles que cette fraîcheur qui, de nouveau, ruisselait en elle.

— L'intaille[3] sertie dans ce bijou représente très exactement le dessin de ta tache de naissance.

Un coup de poing frappé en pleine poitrine n'aurait pas mieux emporté Flore. Elle manqua s'étrangler.

Il se moque de moi ! Le même dessin ? Une telle coïncidence ? Et puis comment peut-il le savoir ?

Elle n'eut pas la possibilité de le lui faire remarquer.

---

1. Une bague surmontée d'un sceau pour cacheter les lettres.
2. Recueil de chartes qui englobe des titres de propriété ainsi que les privilèges temporels de l'Ordre.
3. Pièce plate de bois, d'os, de pierre précieuse ou de monnaie, que l'on insère dans un bijou.

Deux mégères armées de bâtons venaient de surgir de la maison la plus proche et fonçaient dans leur direction, avec force jurons.

La main d'Armand s'enroula autour de la sienne.

— Viens. Nous défendre mettrait en péril notre déguisement, lui dit-il en l'entraînant dans la direction opposée.

Ils ne s'immobilisèrent qu'une fois le clocher du village disparu. Flore se laissa glisser contre le tronc d'un frêne dont l'une des branches basses avait rejoint le serpent d'une racine. Irrité par l'acidité de la sueur qui ruisselait sur son visage, le masque que lui avait confectionné Adélys la démangeait méchamment.

Elle ne put s'empêcher d'y porter ses doigts, aussitôt arrêtés par ceux d'Armand.

— C'est superficiel, Flore, mais pas innocent. Gratte et tu l'envenimeras.

Il s'était penché au-dessus d'elle. Une même suée recouvrait ses traits, mais sa pâleur indiquait clairement que cette fuite avait réveillé la douleur de son épaule. Imaginer sa souffrance tua dans l'œuf celle de Flore. Elle laissa retomber sa main sur sa cotte de gueuse.

En contrebas, la voie romaine déroulait ses pavés entre la frange des arbres, des marcheurs et des véhicules en tous genres. Des bruits de conversation montaient jusqu'à eux, mêlés aux raclements des sabots des bœufs, des ânes, des chevaux comme au crissement des roues. Il lui sembla même que quelqu'un chantait malgré la chaleur, accablante.

— Mieux vaudra désormais puiser de nuit.

Elle tourna son regard vers Armand, constata, soulagée, que ses lèvres s'étaient recolorées.

— Je le crois aussi. Peut-être pourrions-nous rester là un moment.

— J'allais te le proposer. Tout est calme alentour. Je doute qu'on nous déloge.

Elle lui retourna son sourire.

— Étiez-vous sérieux à propos de cet anneau ?

— Quel intérêt aurais-je à te mentir ? Je l'ai vu. Tout comme j'ai vu cette tache sur ton ventre lorsque tu étais enfant. Un buisson ardent dont les ramures forment une tête cornue. Ce n'est pas un dessin que l'on peut oublier, Flore.

Elle était devenue blême.

C'était la première fois que quelqu'un décrivait sa marque. Elle-même ne l'avait toujours vue qu'à l'envers et jamais comme cela.

Le diable. Sur moi.

Elle frissonna.

— Mon oncle répondra à toutes tes questions, je m'en porte garant, mais nous ne pouvons embarquer pour l'Angleterre sans subsides. Je profiterai de notre passage à Paris pour récupérer de l'argent auprès d'un banquier avec lequel je suis en affaire. Jusque-là, nous allons devoir composer avec les éléments et nos blessures respectives. Nous y arriverons, Flore.

Elle acquiesça d'un hochement de tête, l'esprit en ébullition. Quel lien pourrait-il y avoir entre cette bague romaine, l'ordre du Temple, la malédiction qui voulait la disparition de tous les Capétiens, et sa tache de naissance ?

C'est à n'y rien comprendre.

— Tu pourras te contenter de ça ? demanda encore Armand devant son silence.

Elle s'efforça de soutenir son regard, mais refusa de dissimuler son trouble.

— Je crois, oui. Mais c'est difficile.

— J'en ai conscience. J'ai foi en toi, tu sais. Foi en ta détermination, en ton courage. Je ne permettrai pas qu'il t'arrive quoi que ce soit.

Son œil s'était fait ardent. Elle sentit remonter en elle une chaleur qu'elle avait crue perdue.

S'apaisa.

Si percer ce mystère est le seul moyen pour moi d'échapper au bûcher de l'Inquisition, alors, oui, je suis prête à te suivre Armand, où que ce soit.

Elle lui retourna son sourire.

— Repose-toi, maintenant. Je me sentirai moins coupable de faire de même, avoua-t-il.

Elle le regarda étirer ses jambes, descendre le capuchon de sa mante sur ses yeux, puis ramener son bras sur sa poitrine. En cet instant émanait de lui cette force tranquille qui l'avait toujours attirée.

Elle sentit à nouveau son cœur s'emballer.

Comme si une part d'elle, aussi mystérieuse que cette marque sur son ventre, avait toujours su qu'il ferait partie de son destin.

29.

Paris.
Palais de la Cité.

La journée s'était écoulée trop vite, sans que Charles IV ait pu, à un quelconque moment, rejoindre Jeanne de Dampierre. Six heures sonnaient aux clochers quand il avait réussi, enfin, à se libérer de l'exercice du pouvoir et à réunir son escorte, contre l'avis de ses proches.

Mais au moment de quitter le palais de la Cité, Guillaume de La Broce était arrivé de Maubuisson en compagnie d'un sergent. Et l'espoir d'enfin retrouver sa bien-aimée s'était à nouveau envolé.

Depuis, dans cette pièce où régnait un silence pesant, il tournait et retournait entre ses doigts crispés l'aumônière qu'il avait offerte à Jeanne. À quelques pas de lui se tenait respectueusement le soldat qui l'avait ramassée. L'homme avait ôté son casque de fer. Il le gardait avec fermeté dans le repli de son coude droit. Pourtant, son menton tremblait.

— Sous ma fenêtre ? Cette nuit ? insista le roi, aussi perplexe que troublé.

— Oui, sire.

— Et tu prétends que Mlle de Dampierre s'y trouvait.

L'homme soutint son regard, mais Charles y devina une lueur apeurée.

— Parle. Seule la vérité m'importe, exigea-t-il.

— Elle a poignardé le garde qui l'a surprise à descendre de la tour.

Charles eut l'impression que c'était son cœur qu'on transperçait. Il leva les yeux vers Guillaume de La Broce dont la haute stature dominait celle de ses proches, assis autour de la table, visage fermé.

— Confirmez-vous ? demanda-t-il au légiste.

— Hélas.

Charles leur tourna le dos et, selon une habitude héritée de son père, s'en fut se planter devant la fenêtre ouverte sur les jardins du palais. Un pigeon roucoulait dans l'encadrement. Il le chassa d'un geste agacé.

Jeanne ? Liée à la malédiction ? Impossible. Seule Flore Dupin aurait pu déposer cette plume sur mon oreiller.

— Cet homme ment, affirma-t-il.

— Qu'y gagnerait-il ? s'interposa Robert Gui à qui Charles n'avait pu interdire de se mêler de l'affaire.

Sa suffisance ulcéra plus encore le roi. Il fit volte-face, le toisant avec cette conviction d'innocence qui lui épinglait le cœur, qui lui broyait le ventre. Jamais sa confiance en Jeanne, jamais ses sentiments pour elle n'avaient été aussi solides alors même que tous, réunis ici, l'air embarrassés, devaient intérieurement se réjouir qu'ils soient broyés.

— Je ne doute pas que vous saurez lui arracher la vérité.

— Pourquoi ne pas la lui demander vous-même ? Il est ici, selon ce qu'on vient de me dire, crissa l'inquisiteur.

Charles sursauta.

— Ici ?

— Oui, sire. Face à pareille accusation, j'ai pris sur moi de…

Charles interrompit Guillaume de La Broce d'un geste vif.

— Qu'il entre.

Le sergent se précipita vers la porte.

Quelques secondes passèrent dans une pesanteur de tombeau. La souffrance du roi était perceptible. Son incrédulité profonde. Au petit jour, tous s'étaient vu remettre à leur place au sujet de Jeanne. Regards fuyants, moues crispées, attitudes figées : aucun ne voulait prendre le risque d'être le mouton noir, celui que Charles IV choisirait d'abattre pour se soulager.

Indifférent à ce qui se passait dans son dos, Charles attardait son regard au-delà de la croisée. Des soldats parcouraient la coursive du rempart d'un pas lent. Il se sentit prisonnier soudain. Prisonnier de tous ces gens : chambellans, écuyers, chevaliers, notaires, clercs, mires[1], chirurgiens, ménestrels, fauconniers, gardes des privilèges, architectes, lavandiers, panetiers, échansonniers, bailliers, sommeliers, potiers, charretiers, confesseurs, chapelains, aumôniers ! Tous ces gens qui

1. Médecins.

s'activaient dans ce palais, quand il ne rêvait que d'une chambre, d'un lit. D'elle. Nue. Seule. Sous ses baisers.

Que n'avait-il repoussé l'administration du royaume ! Que ne l'avait-il rejointe au petit matin ! Il aurait pu constater de lui-même et à la chaleur de son corps toute l'absurdité de ces accusations contre elle.

La porte venait de s'ouvrir dans son dos. Il pivota, fronça les sourcils devant la civière que quatre hommes portaient.

L'homme couché dessus gémissait.

Le trajet lui sera fatal, comprit Charles en se précipitant vers lui.

De près, ce lui fut plus évident encore. Le garde était gris cendre, les yeux déjà vitreux, le front recouvert d'une suée maligne. Ses doigts tressautaient sous l'emprise de la fièvre. Quant au bandage qui écrasait sa poitrine, il était maculé de sang frais.

— Il semble que vos doutes se résument à ceci, sire : l'enfer ou le paradis pour cet homme. Si près de passer, le croirez-vous encore enclin au mensonge ? siffla Robert Gui.

Charles refusa de se laisser intimider.

— Qui t'a fait ça ? demanda-t-il au blessé.

— Jeanne de Dampierre, sire, répondit ce dernier d'une voix d'outre-tombe.

— Il faisait nuit. Peux-tu en jurer ?

— Elle était habillée en homme mais la lune éclairait son visage. J'ai arraché ceci à sa ceinture, chuchota-t-il en désignant péniblement l'aumônière que le roi n'avait pas lâchée.

Charles sentit sa colère monter d'un cran.

— Tu mens. Qui t'a payé pour la compromettre ? Qui ?

Mais l'effort de parler avait eu raison du moribond. Il ne trouva pas la force de répondre. Perdant toute décence, Charles voulut le ramener à la conscience en le prenant au collet.

Son oncle l'arrêta.

— Reprenez-vous, mon neveu ! C'est d'une extrême-onction que ce malheureux a besoin ! Irez-vous jusqu'à achever le travail de votre maîtresse pour nier l'évidence ?

Charles se figea, blême, avant de s'emporter à nouveau et de lui faire face, les yeux injectés de sang.

— Je ne vois d'évident ici que votre obstination contre elle. Dois-je en déduire que vous faites partie du complot pour la perdre ? rugit-il, cassant.

— Vous ne le saurez jamais. Votre sergent est mort, lâcha soudain Robert Gui, glacial.

Charles tenta de reprendre son calme pendant que l'inquisiteur traçait un ultime signe de croix sur le front du défunt. Un silence de tombeau s'était répandu dans la pièce. Mains jointes, chacun suivit le départ du corps. Charles, lui, serrait les mâchoires. Il refusait de se sentir coupable, d'éprouver la moindre compassion. Le trépas du garde l'amputait d'un nom, celui du scélérat qui l'avait contraint à médire. Peu lui importait ce qu'on avait promis à cet homme, fortune ou représailles sur sa veuve, ses enfants. Il n'y pouvait rien. Ce qu'il voulait, c'était qu'on laissât la femme qu'il aimait tranquille.

— Je n'en démordrai pas. Quoi qu'on en dise. Jeanne de Dampierre est innocente, crissa-t-il.

Un éclat de métal transperça les prunelles de Robert Gui.

— D'abord votre clémence envers ce meunier, à présent votre entêtement devant tant de preuves... Seriez-vous sous influence ? ensorcelé par cette béguine qui vit au-dessus des lois terrestres et divines ? Qui plus est, la fille de la comtesse de Rethel, dont j'ai moi-même perçu la duplicité et que je soupçonne d'empathie envers la Dupin, la fille de son métayer ? Cela fait beaucoup de coïncidences, sire, quand visiblement cet objet que vous reconnaissez suffit à les réduire en miettes !

Charles ne désarma pas.

— Voyez-y ce que vous voulez. Jeanne de Dampierre ne trouverait aucun intérêt ni pour elle ni pour sa famille à se dresser contre moi.

Un sourire cynique emporta les lèvres trop fines de l'inquisiteur.

— Quelques rumeurs anciennes ne faisaient-elles pas des Rethel les alliés de Jacques de Molay ?

— Si fait, approuva Charles de Valois que l'attitude bornée de son neveu effrayait.

— Il me semble, en effet, ajouta Pierre de Rémi, tandis que, retrouvant un semblant de courage, les autres opinaient.

Tous. Ils sont tous contre elle, quand elle est mon unique rempart contre la malédiction, contre cette plume qui m'étouffe, se buta plus encore Charles.

Il était le roi. Et tous, dans cette pièce, Robert Gui compris, lui devaient allégeance et respect. Il ne permettrait pas qu'on décide à sa place de ce qui était bon ou mauvais pour lui. Et encore moins sur de si pauvres témoignages. Il écrasa son poing sur la table.

— Je n'en écouterai pas davantage. J'entendrai, seul, Mlle de Dampierre à ce sujet. Elle ne me mentira pas.

30.

Route de Paris.

Le jour déclinait lorsque les jambes de Flore refusèrent de la porter. Ils avaient marché d'un bon pas et couvert plus de distance qu'Armand ne l'avait espéré. La clairière dans laquelle ils venaient de s'installer dégageait une sérénité à laquelle, pourtant, Flore ne parvenait à s'abandonner. Elle aurait préféré l'abri d'une auberge, mais leur allure de lépreux le leur interdisait. Non qu'elle détestât cette intimité avec le rémouleur, mais elle avait entendu moult histoires dans sa prime jeunesse. Toutes évoquaient le voyageur égaré, contraint de dormir à la belle étoile. Là un brigand lui tranchait la gorge dans son sommeil, ici un sanglier l'éviscérait de ses défenses, ailleurs une vipère, entrée par ses braies, se logeait dans son fondement, sans compter ces hordes de farfadets, d'elfes, de fées qui, jaillis de dessous les pierres, du creux des arbres ou des fontaines naturelles, le tourmentaient, chacun à sa manière, jusqu'à le laisser fol. Elle se garda pourtant d'en rien avouer à Armand.

Osant juste un discret : « Est-ce bien prudent ? » lorsqu'il lui avait annoncé qu'ils feraient halte jusqu'aux prémices de l'aube.

Sa voix avait dû lui sembler bien grêle, son regard furtif, car il avait entrepris de ramasser branches et brindilles, les avait assemblées à l'intérieur d'un cercle de pierre, noirci déjà, puis avait battu briquet. Le feu n'avait pas tardé à crépiter.

— Voici qui éloignera les animaux sauvages, avait-il lancé.

Mais pas les brigands, s'était à demi réconfortée Flore qui ne savait ce que, des deux, elle craignait le plus.

Quelques minutes plus tard, ayant fait provision de bois, Armand sortait les vivres que leur avait généreusement offerts Adélys. Affamée, Flore les dévora pour tromper son inquiétude. Mais, impitoyables sentinelles, son œil restait attiré par le moindre frémissement dans les taillis et son oreille par de simples craquements.

— Détends-toi, Flore. Nous nous sommes écartés de la route et ce sous-bois n'est pas assez touffu pour abriter des malandrins. Et quand bien même, songe à ce que je fus. Qui nous attaquerait finirait au bout de Vaillante, assura-t-il en tapotant la poignée de son épée, soigneusement dissimulée sous le pan de son manteau.

— Vaillante ? rebondit Flore qui ignorait tout des codes de la chevalerie.

— Jacques de Molay la nomma ainsi en me la remettant le jour de mon adoubement.

— Je croyais que vous n'étiez qu'écuyer ? s'étonna-t-elle.

— C'est comme ça que je continue de me voir. Trois jours après cet honneur dont il me couvrit, il était arrêté et moi non.

Humble. Tel que je l'ai toujours connu, s'attendrit-elle.

— Adélys m'a raconté que le grand maître vous avait éloigné ce jour-là.

— J'appris plus tard que c'était sciemment. Il ne voulait pas que je tombe. Il avait besoin de moi, dehors.

— Pour veiller sur moi, comprit-elle.

Elle commençait à goûter à l'intimité que ce cocon de verdure leur offrait.

— Ce ne me fut jamais corvée, Flore. Au contraire, avoua-t-il tandis qu'un hurlement emportait le silence autour d'eux.

Fragilité de l'instant. Flore se crispa aussitôt.

— Un loup.

— Il est loin. Et solitaire.

Mais elle s'était instinctivement rapprochée et il ne put résister à l'envie de l'attirer par les épaules.

— J'entretiendrai le feu, n'aie crainte.

Elle déglutit, troublée par son contact. L'allure misérable qu'ils promenaient était gommée par ces flammèches qui montaient au firmament. Elle était là où elle avait espéré être.

Si seulement ce n'était dans de si dramatiques circonstances, lui cria son cœur.

Il lui sembla que le souffle d'Armand s'était accéléré dans son cou.

Est-il troublé lui aussi ou mesure-t-il le poids de son engagement à me protéger ?

Refusant de laisser son imagination trancher dans un sens ou dans l'autre, elle soupira :

— Si cette malédiction date de 1314, pourquoi ne me recherche-t-on que maintenant ?

— Tu es traquée depuis la mort de Jacques de Molay. Le trépas du pape qui a condamné le grand maître, puis celui de Philippe le Bel quelques mois plus tard ont conduit chacun des rois, depuis, à élargir le cercle des recherches autour de Paris. Charles IV a décidé de ratisser le royaume tout entier, réclamant aussi le soutien de ses féaux sur leurs duchés.

— Et Robert Gui ?

— Il a été chargé de cette tâche en 1314, à la mort de Guillaume Humbert. Je ne crois pas que cette fois il soit arrivé à Rethel par hasard.

— D'après Adélys, vous lui auriez échappé, osa Flore.

Armand hocha la tête, repensant à cette victoire qu'il avait arrachée au prix d'un effort surhumain contre la souffrance. Il n'entendait pas revenir dessus mais il savait que Flore avait besoin qu'il apaise ses doutes à défaut de son chagrin.

— Il espérait me soutirer des informations concernant la malédiction. Cela avait un sens pour lui, j'étais le plus proche du grand maître. Ma fuite l'en a privé. Il m'a fait rechercher mais j'avais suffisamment brouillé les pistes. Je sais qu'il n'a pu remonter ta trace à travers moi. Je ne l'aurais pas permis, Flore. Il est cruel, sans pitié. Il ne se contente pas d'appliquer la question. Il aime ça.

Elle releva le front, chercha son regard à la faveur de ces langues de feu qui dansaient sur leurs visages. Cette peur de découvrir la vérité et tout à la fois le désir de la connaître, du plus profond de son être, firent s'emballer son cœur, ramener à elle toutes ces pensées qu'elle avait ressassées.

Elle sentit que cette fois il ne se déroberait pas.

— Cruel, dites-vous. Sans pitié. Et pourtant il n'a ni interrogé ni torturé mes parents. Vous savez pourquoi. Notre fuite n'a jamais ressemblé au hasard. Vous l'aviez anticipée. Vous étiez là-bas, chez nous, avant l'arrivée des soldats n'est-ce pas ?

Il resserra ses bras autour d'elle, pour l'envelopper plus encore de sa chaleur.

— C'est vrai. Tes parents m'étaient chers, Flore. Lorsque j'ai vu Gui arriver à Rethel, j'ai lâché mes outils pour courir à la ferme. Il fallait que je vous prévienne, que je te mette en sécurité. J'y étais préparé depuis longtemps. C'était mon rôle. Quand je suis arrivé, ton père était cloué au lit. J'ai proposé de l'aider à marcher, de les conduire, lui et ta mère, à la chapelle. Nous les aurions rejoints, ensemble. Tu le sais, ton père était un homme fier. Il a refusé de fuir, estimant qu'il n'avait rien fait de mal et que toi non plus. Qu'il suffisait de chasser Gui de votre maison pour qu'il vous laisse tranquilles. Face à son entêtement, j'ai voulu au moins sauver ta mère. Elle, elle n'avait aucun doute sur ce qui les attendait. Elle était terrorisée.

— Mais elle n'aurait jamais quitté mon père…, murmura Flore, bouleversée.

— Elle m'a pris par les épaules, a murmuré qu'elle préférait mourir là, maintenant, plutôt que de subir la question. C'était réel dans son regard. Et elle savait, autant que moi, ce que je leur épargnerais…

Flore ne respirait plus. Des larmes silencieuses roulaient sur ses joues tandis qu'elle revoyait danser le rire de sa mère dans ses prunelles de jais, s'ancrer la détermination farouche de son père sur ces traits que la vie des champs avait trop tôt burinés.

— Regarde-moi, implora-t-il en lui soulevant le menton de son poing replié.

Elle ne résista pas. Elle s'était liquéfiée.

— J'ai fait ce que je devais. Le cœur en deux, mais je l'ai fait. Je ne voulais pas que tu les voies. Et moins encore que tu tombes entre les mains de Robert Gui. Pour les mêmes raisons que je les ai tués.

Ce regard qui l'implorait partageait sa douleur.

— J'ai été au bout de ce que je suis, Flore. Un ami. Pas un assassin.

— Je comprends, murmura-t-elle, avant d'être emportée par un sanglot.

Il la serra contre lui au mépris de cette blessure à son épaule. Changé régulièrement, le macérat de fleurs de lys cicatrisait la plaie, mais celle qu'il portait depuis Rethel n'aurait jamais de répit, il le savait. Pas plus que celle qu'il venait de lui infliger.

Flore se souvint du regard de sa mère chaque fois qu'ils avaient enterré un des enfants de la maison, cette douleur palpable et à la fois ce sentiment de fatalité qui l'avait écrasée pour pouvoir continuer, s'occuper des autres. Jusqu'à la dernière, la petite Ermande. Elle revit son désespoir tandis qu'elle la serrait, serrait à l'étouffer dans ses bras. « Il ne me reste plus que toi. Plutôt mourir que de te perdre », lui avait avoué sa mère.

Combien de temps aurait-elle résisté à la question, se torturant plus encore de parler, de livrer la moindre information qui eût pu lancer Robert Gui sur mes traces ?

Flore se sentit démunie. Elle comprenait que sa mère ait supplié Armand de l'en empêcher.

Quant à son père, il était resté tel qu'elle l'avait connu, admiré et aimé. Un roc. Droit. Digne.

Armand les avait sauvés, à sa manière, d'une fin plus longue, plus atroce.

Une part d'elle l'en remerciait, lui renouvelait sa confiance. L'autre, anéantie dans ses bras, se demandait pourtant si elle serait capable de lui pardonner.

31.

Paris.
Grand béguinage royal.

Charles IV recula d'un pas devant cette porte qui demeurait obstinément close. Il revint toquer, refusant d'admettre que Bertrade soit elle aussi absente.

Jeanne a dû l'envoyer vers quelque marchand, finit-il par se rassurer avant, remarquant que la rue était presque déserte, de comprendre qu'il avait oublié la messe.

Contrit, il tourna aussitôt les talons et fonça jusqu'au portail du grand béguinage, son escorte, imposée cette fois par son oncle, trottinant derrière lui telles des brebis craignant de perdre le bélier.

La chapelle était pleine quand il y pénétra. Il eût pu traverser l'allée, interrompre l'homélie et s'installer auprès de Jeanne, mais c'eût été autant blasphémer que donner à cette affaire une importance qu'il lui refusait. Il s'agenouilla près de l'entrée, les mains jointes, l'esprit tourmenté.

— Je vous en conjure, mon neveu, ne me voyez pas en ennemi, l'avait imploré Charles de Valois en aparté, juste avant qu'il ne monte en selle. Je n'ai aucun intérêt à vous nuire, encore moins à vous blesser. Je sais à quel point vous aimez Jeanne mais vous ne pouvez faire abstraction de ce qui vient de se passer. Soyez prudent. Si Mlle de Dampierre est coupable comme tout semble l'indiquer, vous êtes en danger physique auprès d'elle. Ne la laissez pas vous isoler.

— En danger avec Jeanne ? Ne soyez pas stupide, mon oncle. Elle eût pu mille fois m'occire quand elle n'a su que m'aimer, s'était-il agacé.

— Quand bien même. Vous allez en épouser une autre. Croyez-vous donc pouvoir lui faire un enfant si vous vous épuisez ailleurs ?

Furieux, Charles avait lancé sa monture au galop. Il était temps de lever les doutes qui pesaient sur Jeanne. Temps de prouver à tous que son amour pour elle était compatible avec les intérêts du royaume.

Mais là, entre ces murs colorés, dans ce prisme de lumière qui tombait des vitraux, sa détermination céda place à une immense tristesse. Non qu'il doutât soudain de sa bien-aimée, mais il avait désormais la certitude que, quoi qu'elle dise ou fasse, quoi qu'il dise ou fasse, Charles de Valois avait raison. On ne verrait plus Jeanne que comme une menace.

Dans deux mois il épouserait Marie de Luxembourg. Il devrait s'appliquer à ce que sa chair l'accepte. Mais comment ? Depuis qu'il connaissait Jeanne, il n'avait plus éprouvé de désir pour une autre. L'idée de devoir mettre un terme à leur relation lui poignarda si violemment le cœur qu'il crut un instant perdre connaissance sur les dalles. Il lutta, chercha le souvenir de ses baisers. L'étau se desserra, l'obligeant une fois de plus à ce constat : Jeanne était son salut.

Je trouverai. Je trouverai le moyen pour que mon épouse enfante de moi sans me priver d'elle.

Il tomba le front sur ses mains jointes.

Je ne suis pas digne de vous recevoir Seigneur, je le sais depuis ce simulacre de sacre. Mais je vous en conjure, vous qui n'êtes qu'amour, voyez celui qui emporte mon cœur, jaugez-en la pureté au-delà de la luxure. Permettez que ce royaume n'en porte pas le fardeau. Délivrez-le du mal. Délivrez-moi du mal.

C'est une main sur son épaule qui l'arracha à sa prière. Tout à sa ferveur, cherchant à y retrouver la paix, il n'avait pas entendu les béguines quitter la chapelle. Il n'en restait qu'une lorsque, surpris, il ouvrit les yeux. Mais ce n'était pas Jeanne.

Bénédicte de Chemillé était la plus ancienne de la communauté. Elle lui confirma ce qu'il redoutait :

— Vous le savez mieux que personne, sire. Comme chacune d'entre nous, Jeanne est libre d'aller et venir comme bon lui semble. J'ignore où elle se trouve.

Un sentiment d'angoisse emporta Charles. Et si Flore Dupin s'en était pris à elle ?

Son sang ne fit qu'un tour.

— Vous possédez un double de sa clef. Il me le faut.

La peur, que Bénédicte de Chemillé lut dans ses yeux, lui fit aussitôt tourner les talons.

— Venez.

Elle le guida en silence jusqu'à son propre logis, disparut derrière la porte et revint au bout de quelques secondes avec ce qu'il avait demandé. Charles lui sut gré de sa discrétion. Il la quitta en trombe, talonné par sa garde.

Lorsqu'il déverrouilla la porte, il était prêt à tout, y compris à découvrir le corps sans vie des deux femmes et à mourir de chagrin.

Le silence avait une odeur d'encens, de cire et de tissu brûlé. Rien d'habituel dans cette demeure.

Indifférent à la pénombre, il monta l'escalier quatre à quatre, fonça jusqu'à la chambre de Jeanne, trouva le lit défait, le coussin enfoncé, le coffre ouvert, ses robes dispersées.

Sacrebleu ! Que s'est-il passé ici ?

Il entendit grincer les volets qu'il avait donné l'ordre d'ouvrir, puis presque aussitôt la voix d'un des sergents restés en bas :

— Vous devriez venir, sire.

Il redescendit en toute hâte, se retrouva face à un bout de toile noirci piqué au bout d'une lance.

— Qu'est-ce ?

— Nous l'avons découvert dans la cheminée.

— Les flammes n'ont pas réussi à tout détruire. Il y a d'autres morceaux, des braies je dirais, ajouta un autre qui fouillait les cendres.

Des vêtements d'homme, comprit Charles.

Il arracha le tissu qu'on lui présentait. Il se précipita à la fenêtre, refusant de croire ce que ses yeux voyaient, mais c'était bien du sang séché.

Son angoisse remonta d'un cran.

Il estima la taille du vêtement à la longueur de cette manche. C'était celle de Jeanne.

Non. Dis-moi que je me trompe. Qu'ils se trompent tous. Que ce n'était pas toi…

Des preuves. Des preuves du contraire.

Il en avait besoin. Il ordonna qu'on fouille partout, jusqu'aux combles.

Lui retourna au premier, échafaudant une autre hypothèse : Flore Dupin était venue là. Jeanne lui avait ouvert sans se méfier. Elle n'en avait aucune raison, c'était la fille du métayer de sa mère. Elle avait dû le lui rappeler. Et elle était accompagnée par le rémouleur que Jeanne avait forcément dû voir à Rethel, enfant. Oui, ce ne pouvait être que cela. Une fois le loup dans la place, Jeanne n'avait pas eu le choix. Elle avait dû donner d'autres vêtements à Flore, puis la suivre.

Où es-tu Jeanne ? Où t'ont-ils emmenée ? s'affola-t-il en tournant sur lui-même.

Son regard s'arrêta sur la cheminée. De petites braises y rougeoyaient encore.

— Rien dans les autres pièces, sire, annonça un de ses sergents depuis l'encadrement de la porte.

— Continuez à fouiller. Mlle de Dampierre a été enlevée.

L'homme dévala les marches. Tout en griffant la cendre tiède, Charles entendit le soldat transmettre ses ordres, la porte s'ouvrir. Nul doute qu'ils allaient interroger les voisins, le fauconnier, ses clients.

Pour quel résultat ? s'inquiéta-t-il.

Il continua à ratisser, à genoux sur le parquet, le nez emporté par cette odeur d'encens, de cire qui envahissait de plus en plus ses narines. Il saisit un tesson, le déposa dans sa paume qui soudain s'était mise à trembler.

La preuve. La preuve que Jeanne était innocente, qu'elle n'avait pas poignardé ce garde, déposé cette plume sur son oreiller cette nuit.

Il ne la trouverait jamais. Non, jamais.

Hébété, oscillant entre la terreur et la consternation, il referma ses doigts sur ce morceau de terre cuite. Un pot, à en juger par sa forme. Un pot dans lequel étaient collés une épingle, quelques cheveux et de la cire.

On avait bien pratiqué un envoûtement ici. Comment douter encore que ce fût sur lui ?

32.

Paris.
Grand béguinage royal.

Charles IV sortit dans la rue, croyant étouffer. Hagard, l'esprit en déroute, il était incapable de comprendre ce qui avait pu pousser Jeanne à de telles extrémités. Ses sergents firent aussitôt bloc pour écarter les curieux que son attitude incohérente attirait. Mais ce fut pis. D'anonyme, il redevint le roi. Et si l'on s'écarta, ce fut par peur non de ses archers, mais que la malédiction ne les touche par ricochet.

Rien d'étonnant à cela.

Tous avaient déjà, une ou plusieurs fois, assisté à l'exécution, en place de Grève, d'une Flore Dupin.

Devant ces corps qui se balançaient au bout d'une corde, la réaction était toujours la même : une de plus, mais est-ce la bonne ?

La malédiction était une ombre qui avait creusé l'inconscient de chacun. On avait beau savoir qu'elle n'atteignait que ceux qui avaient participé à la condamnation du Temple, les Parisiens s'étaient déplacés en masse pour assister à la lecture des accusations contre Jacques de Molay devant Notre-Dame. Ils l'avaient entendu se récuser, nier avoir commis la moindre faute, le moindre blasphème. Plaider que l'Ordre était innocent, affirmer que Dieu tout-puissant armait sa main et non le diable. Et que quiconque, soumis à la question, aurait fini par avouer tout et son contraire. On s'était servi de ce relaps pour le condamner à mort. Et nul, dans la foule, ne s'était élevé contre la sentence.

Qui, dès lors, pouvait être certain de ne pas, un jour, lui aussi, en subir les conséquences ? Il y avait ceux qui avaient vu la colombe naître des flammes et se poser devant le roi et ceux qui en avaient colporté la légende. Mais tous se posaient la même question. Qui frappait ? Dieu pour punir le royaume d'avoir blasphémé en éradiquant les Templiers ? Ou le diable qu'ils avaient adoré ? Et voici que le dernier des Capétiens perdait toute contenance, cherchant sur lui l'aiguillette qui lui clouerait le bec.

Peu importait qui la lui avait épinglée. Ils étaient terrifiés. D'autant plus que le jour déclinait.

Planté devant le vieux figuier qui marquait l'intersection des quatre rues, Charles, lui, ne s'apercevait de rien. Il était devenu aveugle de n'avoir pas voulu voir, sourd d'avoir refusé d'entendre. Il cherchait la plume sur lui, puis s'arrêtait, interdit, en gémissant, navire perdu au milieu de sa tempête intérieure. Il ne savait plus où il était, ce qu'il devait croire, penser. Était-il mort déjà ? vivant ? au purgatoire ? Et Jeanne ? Où était Jeanne ?

Dans ce chaos, la paume griffée par ce morceau de terre cuite qu'il n'avait pas lâché, il luttait contre lui-même, contre cet amour pour elle qui l'empêchait d'être, d'agir, de respirer.

D'accepter.

Et soudain, tout lui revint en bloc. L'odorat, la vue, l'ouïe. Il s'immobilisa, en nage, découvrit ces soldats qui, devant et derrière lui, le maintenaient dans son périmètre de déraison, comprit qu'ils n'étaient pas parvenus à le préserver des regards et clama, haut et clair :

— N'a-t-on donc rien à faire dans Paris ?

Cela suffit à disperser les badauds. Contrit, le capitaine des sergents s'approcha.

— À vos ordres, sire.

Charles hésita. S'il montrait les preuves de l'envoûtement, son Conseil serait conforté dans ses arguments contre Jeanne. Quant à l'inquisiteur...

Il avait besoin, quelques heures, juste quelques heures, de rester seul pour tenter d'y voir plus clair et décider quoi faire.

— Rentrez au palais, ordonna-t-il.

Le sergent blêmit sous son casque de fer.

— Mais... sire...

Un simple froncement de sourcils le fit se reprendre et hocher la tête.

La rue s'était vidée. Un sergent lui ramena son cheval. Charles les regarda enfourcher leurs montures avant de monter en selle et de se faire ouvrir la poterne de la tour Barbeau, celle qui enfermait la chaîne qui, relevée, barrait le fleuve durant la nuit.

Une fois qu'elle se fut refermée derrière lui, il hésita. Pousser jusqu'à Rethel ? Il n'était pas certain que Jeanne s'y cache.

Non, décida-t-il en longeant la grève.

Il mit pied à terre sur le sable, s'assit sur un tronc échoué. Les dernières lueurs du crépuscule dansaient sur la Seine, agitant les poissons, appelant le bêlement d'un mouton sur l'île aux Javiaux qui lui faisait face et les derniers trilles des oiseaux dans les aulnes voisins. Les cloches de l'abbaye Saint-Victor, au-delà du Petit Pont, répondirent à celles enclavées dans l'enceinte de Philippe Auguste.

Elles semblaient l'inviter à trouver la paix, mais trop de questions se bousculaient dans sa tête.

Jeanne... Me serais-je trompé sur toi ? Depuis le premier jour ? Depuis que je t'ai arrachée à la vie à laquelle tu aspirais ? Tu aurais pu cent fois me percer le cœur durant mon sommeil. Pourquoi maintenant ? Es-tu l'alliée de la Dupin ? Ou t'a-t-elle contrainte à l'aider ?... Qu'ai-je fait, mon amour, pour ne plus être digne du tien ?... Qu'ai-je fait ? se désespéra-t-il en couchant son front dans ses paumes.

Il resta ainsi longtemps, incapable de répondre, incapable de trouver une logique, un but, un sens au geste de sa tendre aimée.

Tout. Je t'ai tout donné... sauf un royaume. Est-ce ce que tu entends me faire payer ? Tu semblais tellement peu t'en soucier hier...

Autour de lui, l'ombre avait gagné. Le fleuve n'était plus qu'une masse grise sur laquelle se découpait la berge basse de l'îlot.

Charles passa la manche de sa chemise de soie sur son front en sueur.

Il revit Jeanne, son rire, sa manière de le chevaucher, de l'amener à lui dire à quel point il l'aimait, cette lueur de défi dans le regard. Un jeu auquel ils s'étaient adonnés souvent au long de ces huit dernières années.

Non. La réponse est ailleurs.

Et soudain il se souvint combien Bertrade était méticuleuse, attentive à ce que tout soit à sa place, propre, rangé. À l'opposé de ce qu'il avait trouvé dans la demeure.

Son cœur qui saignait s'emballa.

Ce n'est pas normal.

Bertrade n'aurait rien laissé qui puisse nuire à sa maîtresse. Jeanne encore moins.

Il bondit de son siège improvisé. Hors de question qu'il parle à quiconque de la plume ou de ce qu'il venait de découvrir. Tant qu'on ne lui fournirait pas la preuve irréfutable du contraire, il se tiendrait à cette version devant ses conseillers : Jeanne avait été enlevée par la Dupin.

Il remonta sur son cheval.

Il ne lui restait qu'à retrouver Jeanne au plus vite et à la disculper.

33.

Route de Paris.

Flore s'éveilla sous les trilles joyeux d'une mésange effrontément posée sur l'arrondi de son épaule. Visiblement, Armand avait préféré la laisser se reposer que partir avant l'aube. L'oiseau s'envola et elle se redressa sur un coude. Sous la clarté poudreuse de l'aurore qui filtrait au travers des branches, la clairière avait perdu son mystère mais pas sa beauté.

Elle s'assit, moulue. La mousse offrait un généreux tapis, mais il n'avait pas suffi pour lui épargner un sommeil agité.

Son regard s'arrêta sur Armand qui revenait d'un sentier voisin.

— Faim ? lui demanda-t-il lorsqu'il fut devant elle.

Il ouvrit ses paumes. Il avait ramassé des myrtilles et des mûres en assez grande quantité pour deux, mais elle secoua la tête.

— Plus tard, soupira-t-elle en se levant pour faire circuler le sang dans ses jambes. J'ai passé la nuit avec des êtres évanescents affublés de la même tache que moi, des soldats romains cernant un groupe de chrétiens, un ours qui se dressait devant des lances... J'ai l'impression d'avoir été chacun d'eux à la fois.

Le sourire d'Armand était retombé brutalement.

— C'est la première fois que tu rêves de ces choses ?

— Et j'espère la dernière !

Il la regarda s'accroupir devant le réservoir naturel que formait une source.

— Pas sur le visage, lui rappela-t-il.

— Je sais.

Elle souleva de l'eau dans ses mains et s'en aspergea le torse et les bras. Il faisait déjà chaud et elle n'aspirait qu'à engranger le plus de fraîcheur possible avant de partir.

Armand avait déposé les baies sur une pierre plate et entrepris de rassembler leurs maigres affaires lorsqu'elle revint vers lui. Il semblait plus souple dans les mouvements de son épaule.

Pas de malignerie, en conclut-elle, soulagée, même si elle avait pu juger par elle-même que la réputation du macérat de fleurs de lys sur les plaies n'était pas usurpée. Elle regrettait seulement qu'il ait refusé son aide pour les renouveler la veille, assurant qu'il était habitué à agir par lui-même.

Un moyen, avait-elle pensé, *de me montrer sa vaillance et couper court à toute inquiétude.*

Elle piocha quelques myrtilles. Lorsque leur saveur éclata dans sa bouche, elle se retrouva soudain projetée en arrière, à son retour du moulin. Elle venait alors de décider d'épouser Gabriel.

Par défaut.

Une pique douloureuse s'enfonça dans sa poitrine. Saurait-elle jamais ce que son promis était devenu après sa fuite ? L'avait-on arrêté ? torturé ?

À moins...

Résolue à aller au bout de la vérité, elle se planta devant Armand, déglutit, oppressée.

— Gabriel... L'avez-vous aussi... ?

Il la prit délicatement par les épaules.

— Tué ? Non, Flore.

— Pourtant vous n'avez pas, non plus, voulu que je retourne chez lui.

Elle lut de la tristesse dans son regard.

— Parce que Gui nous talonnait. Rien d'autre. Et puis cela l'aurait mis en danger si, par chance, nul n'avait révélé que vous étiez fiancés.

Il glissa une mèche derrière son oreille.

— Je n'ai pas voulu ça, Flore. Je suis navré.

— La faute à cette maudite tache, pas à vous.

Il l'avait lâchée et soudain elle se sentit seule. Infiniment seule.

— Je ne l'ai jamais montrée à quiconque parce que ma mère détournait toujours les yeux devant. Je pensais juste que ce n'était pas joli. Maintenant, à cause de cet anneau sigillaire romain, à cause de la manière dont vous me l'avez décrite, je ne sais plus quoi penser, murmura-t-elle.

Il y avait tant de choses qu'elle ignorait encore. Tant de choses qu'il aurait voulu lui apprendre ! À plus forte raison à présent que ses songes parlaient. Mais cela n'aurait servi qu'à l'égarer davantage, alors que le danger était toujours là, autour d'eux, dans ces patrouilles que l'inquisiteur avait dû renforcer sur les routes, à l'orée des villes.

Il l'attira dans ses bras. Elle ne se déroba pas. Au contraire. Ce vide en elle semblait soudain ne pas avoir de fond. L'idée qu'il finisse par déboucher sur l'enfer la terrorisait.

Il caressa ses cheveux, s'étonna de les trouver soyeux malgré la poussière du chemin et la sueur.

Elle ne se voit pas comme je la vois. Elle ne s'aime pas.

— Est-ce à cause de cette tache que tu retardais ton mariage avec Gabriel ? Par peur de lui déplaire ?

Elle rougit violemment.

— Non. Nous avons grandi ensemble, alors cette idée ne m'a jamais effleurée.

Elle hésita, se mordit la lèvre, puis céda.

— Et vous ? N'en avez-vous pas été choqué ?

Il étouffa un sourire dans ses cheveux.

Choqué ? Doux Jésus, Flore, si tu savais…

Il sentit son corps le trahir, refusa qu'elle s'en aperçoive. Pour autant il ne voulut plus mentir.

— J'ai toujours su que tu étais différente, et tu dois me croire, Flore. Malgré les circonstances, je suis heureux que le grand maître m'ait offert ce privilège de veiller sur toi.

Il avait espéré que cela suffirait, mais elle soupira.

— Pourquoi ? Qu'avais-je de particulier pour lui ? Comment savait-il que je possédais cette marque ? Vous, vous l'avez vue, mais lui ?

— Jacques de Molay et la comtesse de Rethel étaient très liés. Mon oncle t'en apprendra davantage. Je t'en ai, quant à moi, révélé bien plus que je ne l'aurais dû déjà pour ta propre sécurité.

Il l'écarta délicatement.

— Je ne veux pas te perdre. Je tiens à toi. Profondément, ajouta-t-il.

Troublée, Flore plongea dans ses yeux. Toutes ces émotions, entre la douleur, le doute, la peur, l'effroi, l'incompréhension... Comme si tout en elle s'était exacerbé.

— Moi aussi je tiens à vous... D'une autre manière qu'à Gabriel, avoua-t-elle dans un souffle, espérant un geste, un baiser en retour.

Mais rien ne vint. Armand se méprit sur sa réponse.

Comment aurait-il pu se douter que Flore n'éprouvait que tendresse pour son fiancé ? Il les connaissait tous deux depuis l'enfance, avait été témoin de la complicité qui les liait. Certes, ces derniers mois il avait cru la voir frémir à son approche, rougir, détourner les yeux. Il s'était attaché à croire qu'elle ressentait pour lui ce qu'il ressentait pour elle.

Je me suis trompé. J'ai été fol de penser qu'elle pourrait me choisir. Moi le rémouleur itinérant, sans famille, quand Gabriel faisait déjà partie de la sienne. Fol. Oui fol ai-je été de croire que notre situation actuelle avait pu nous rapprocher assez pour le lui faire oublier.

Refroidi, il regrettait déjà de s'être livré. Elle chercha à nouveau son regard, espéra y lire ce trouble qui emportait le sien, mais Armand avait appris à dissimuler ses émotions. Rien ne perça de sa déception. Et de nouveau Flore eut l'impression que le sol se fissurait sous ses pieds.

Il tient à moi, mais il ne m'aime pas.

— Allons, viens. La route est longue encore, dit-il, pressé de clore cette conversation.

Elle hocha la tête. Marcher. Fuir. Elle savait dans quelle direction.

Mais dans quel dessein si elle ne pouvait même pas espérer partager un avenir avec Armand ?

Ils récupérèrent leurs besaces.

Les baies, se souvint Flore au moment de quitter la clairière.

Elle tourna la tête.

Deux écureuils s'étaient assis face à face sur la pierre et se partageaient leur festin.

L'image était belle. Pourtant, elle acheva de lui broyer le cœur.

34.

Sur la route de Rethel.

Jeanne de Dampierre s'était à peine accordé le droit d'avaler une omelette dans une auberge et de dormir quelques heures. À son réveil l'angoisse était toujours aussi vive. Elle avait sauté sur un cheval frais puis était sortie du clos pour rejoindre la grand-route, plus que jamais convaincue qu'elle devait prévenir sa mère des conséquences de la perte de son aumônière. Jusque-là, Charles IV n'avait jamais songé à envoyer l'inquisiteur à Rethel. Ce ne serait plus le cas une fois que, à cause de la plume, il l'aurait rattachée, elle, à la malédiction.

Depuis elle talonnait sa monture.

Si seulement je n'avais pas ouvert ce fichu tiroir ! Si seulement je n'avais pas découvert la vérité ! se fustigeait-elle encore à l'approche de la cité où elle avait séjourné un mois plus tôt.

Elle se revit cherchant dans le secrétaire de sa mère de quoi remplir son encrier. Un billet du roi venait d'arriver, dans lequel il lui dépeignait son impatience à la revoir. Elle voulait lui répondre sans tarder. Elle avait déclenché fortuitement un mécanisme, avait découvert une clef ainsi qu'un billet. Elle se serait gardée de le lire si son œil n'avait été attiré par cette succession de noms et de dates rayés. Elle avait vite compris qu'elle tenait là la liste de tous ceux que la malédiction, dont lui parlait Charles, avait frappés.

Lorsque, ne la voyant pas revenir, sa mère l'avait rejointe dans la chambre, Jeanne, troublée, la lui avait mise sous le nez. Elle l'avait vue se décomposer, hésiter puis se laisser tomber sur la courtepointe du lit.

— Viens là, lui avait-elle dit. C'est un secret que je porte seule depuis trop longtemps. Tu n'aurais jamais dû le découvrir mais puisqu'il en est ainsi...

— Quel secret, mère ? s'était inquiétée Jeanne.

Sa mère s'était allongée sur le côté puis avait relevé son jupon, l'obligeant, gênée, à tourner la tête.

— Ne joue pas les prudes. Regarde, lui avait-elle ordonné.

Jeanne avait découvert un dessin sur la hanche de sa mère. Une sorte de buisson ardent dans lequel se détachait une tête d'animal cornu. Devant sa surprise, sa mère s'était redressée et avait soupiré :

— Depuis des siècles, les comtes et comtesses de Rethel sont, à la fois, les gardiens du corps de sainte Colombe dont le sang, devenu d'ambre, fournit un baume sacré, et de la sainte ampoule dans laquelle il est recueilli. Mélangé au chrême de l'Église, ce baume confère la bénédiction divine à nos rois lors de la cérémonie du sacre à Reims. Depuis le baptême de Clovis, il lie la couronne de France à Dieu. Autant te dire que le rôle de ces gardiens est infiniment précieux[1]. Au point qu'ils se distinguent tous, de génération en génération, par cette marque que je porte : le Baphômet.

— Comme le Baphômet que l'on reprocha aux Templiers d'avoir adoré ?

Un sourire triste avait fleuri sur les lèvres de la comtesse de Rethel.

— Le Baphômet n'a jamais été la représentation du diable. Au contraire. Il rappelait que l'Ordre avait aussi été créé pour protéger les gardiens de sainte Colombe et de la sainte ampoule. Seuls les grands maîtres et les commandeurs se partageaient cette information capitale. Ni les rois, ni l'Église ne l'obtinrent jamais. Tous continuent de croire que la sainte ampoule semble ne jamais se vider.

— Alors que ce sont ses gardiens qui la remplissent. À l'aide du sang resté liquide de sainte Colombe, avait récapitulé Jeanne, émerveillée.

— Bien plus encore. Il ne coule qu'en présence de ses gardiens. De sorte que nul, pèlerin ou moine, n'a jamais pu percer ce secret. Tout changea en 1307, avec la cupidité de Philippe le Bel. Après l'arrestation de Jacques de Molay, j'ai déplacé le corps de Colombe. Par précaution. Dieu entendit-il mes prières ? Il me priva de la mémoire de l'endroit où je l'avais dissimulée tandis qu'il scellait les lèvres des Templiers. Malgré la torture,

1. Voir tableau des éléments chronologiques et historiques en fin d'ouvrage.

aucun de ceux qui connaissaient ce secret ne l'a avoué. Philippe le Bel a continué à rechercher l'or du Temple sans imaginer que le corps d'une sainte était l'élément le plus précieux du trésor. Nous pensions tous qu'il se lasserait, reviendrait sur ses erreurs, sur ses crimes, que l'ordre du Temple serait innocenté de l'accusation d'hérésie.

— Mais le culte du Baphômet en était le fondement. Or le grand maître ne pouvait expliquer à quoi il renvoyait, avait compris Jeanne.

Elle avait vu soudain les prunelles grises de sa mère s'embraser.

— Devant son bûcher, j'ai eu l'impression que c'était moi, mais aussi les gardiens qui m'avaient précédée que l'on brûlait. Philippe le Bel n'était plus digne de sa couronne. Il méritait de mourir, comme tous ceux qui, autour de lui, près de lui, ont scellé le sort de l'ordre du Temple. J'ai vidé la sainte ampoule puis j'ai dressé cette liste.

Jeanne avait eu l'impression que le sol se dérobait sous ses pieds. Même si elle avait accompli son devoir, sa mère avait tué les Capétiens.

Devant son trouble, la comtesse l'avait serrée dans ses bras, l'assurant que tout serait bientôt terminé. Que la mort de Charles IV marquerait la fin de la malédiction et aussi de la contrainte qu'il lui imposait. Elle pourrait quitter le béguinage, se marier, enfin. Renouer avec la vie qu'elle aurait dû avoir avant qu'il ne jette son dévolu sur elle. Désemparée, Jeanne n'avait su que hocher la tête. Combien de fois ces dernières années avait-elle vu sa mère plonger en elle-même et n'en ressortir que de longues minutes après, hébétée, affaiblie ? Ce jour-là elle avait deviné que ce secret, les choix qu'il lui avait imposés, l'odeur des chairs brûlées tout autant que le poids de ses crimes en étaient responsables. Sa mère était une gardienne. Elle avait protégé sainte Colombe, la sainte ampoule, mais elle n'avait pas su se protéger elle-même de cette démence qui, peu à peu, l'avalait.

— Ni toi ni ton frère ne possédez la marque. Comme si Dieu avait anticipé la fin de l'ordre du Temple, la nécessité d'une nouvelle lignée de gardiens et de rois. Celle qui doit me succéder est ici, à Rethel. Elle se nomme Flore Dupin.

Jeanne s'était mise à frissonner.

— Celle de la malédiction ?

— C'est moi qui l'ai lancée avec cette colombe. Jacques de Molay voulait que le remords et la peur de l'ire divine consument les Capétiens. Je suis allée plus loin. Je ne pensais pas qu'ils traqueraient Flore. Mais l'étau se resserre.

— Charles n'enverra pas l'inquisiteur à Rethel.

— Je le sais. Et c'est la raison pour laquelle il est toujours en vie. Mais il ne peut le rester. Il avait vingt ans en 1314. Il était solidaire de son père. Il mourra, Jeanne. C'est sans appel.

Jeanne avait senti son cœur se serrer. Elle aurait voulu infléchir la volonté de sa mère, mais elle avait su qu'elle n'y parviendrait pas. C'est à cet instant que sa décision avait été prise. Elle ne la laisserait pas commettre le meurtre de trop, celui qui détruirait son âme à tout jamais. Elle se remettrait de la perte de Charles, fonderait une famille. Une famille dans laquelle sa mère tiendrait sa place, retrouverait le souvenir de l'emplacement du cercueil de sainte Colombe. Une famille dans laquelle Flore Dupin entrerait aussi par le biais de son héritage divin. Elle avait discrètement empoché cette liste pour y puiser du courage s'il venait à tomber, puis était rentrée au béguinage. Là, s'efforçant de rester auprès du roi de France celle qu'elle avait toujours été, elle avait commencé à réfléchir à la meilleure manière de le tuer sans se faire prendre, sans mettre ni sa mère ni Flore en danger.

Elle devait bien l'admettre : elle avait échoué.

35.

Ardennes.
Rethel.

Décrochant à peine son allure, Jeanne de Dampierre traversa le pont puis la bourgade fortifiée, obligeant les habitants à s'écarter devant elle. Elle monta la butte, passa la barbacane et pénétra enfin dans la cour du château, d'autant plus inquiète et pressée qu'elle avait remarqué davantage d'archers que de coutume sur les remparts.

Elle venait de mettre pied à terre lorsque Mahaut dévala le perron. D'ordinaire, la fille de l'intendante du château l'accueillait avec autant de chaleur que de déférence. Cette fois, pourtant, à la manière dont elle se tordait les paumes, Jeanne comprit qu'elle retenait ses larmes.

Son instinct, déjà en alerte, la prépara aussitôt au pire :

— Que se passe-t-il ? s'inquiéta-t-elle.

Libérée, Mahaut battit des mains comme un moulin par grand vent.

— C'est terrible, mademoiselle Jeanne, vraiment terrible ! Des soldats. Des...

Jeanne lui bloqua les bras le long du corps.

— Calmement... Quels soldats ?

Mahaut inspira puissamment puis lâcha :

— Ceux de l'inquisiteur.

Ce fut au tour du cœur de Jeanne de s'emballer.

Robert Gui, frissonna-t-elle avec l'impression, soudain, que l'ombre du châtaignier qui mangeait un coin de mur dissimulait une faucheuse.

— Lui et sa garde étaient à la recherche de Flore quand ils ont trouvé les cadavres de ses parents à la ferme. Il paraît qu'elle est en fuite avec l'Armand, le rémouleur. L'inquisiteur a exigé une battue pour les saisir, mais ils leur ont échappé. Du coup, l'inquisiteur a arrêté Gabriel, le fils du meunier, et l'a mené au roi. C'est à n'y rien comprendre ! Monsieur le comte est à son enquête en ce moment même, avec le prévôt.

Le sentiment d'urgence de Jeanne venait de monter d'un cran.

— Où est la comtesse ? s'enquit-elle.

— Dans sa chambre.

Relâchant Mahaut, Jeanne fonça dans la demeure et grimpa l'escalier en repoussant les limites de sa fatigue.

Elle trouva sa mère qui brodait sous la fenêtre ouverte.

— Jeanne ! s'exclama-t-elle en abandonnant aussitôt son ouvrage pour se précipiter vers elle.

Elles s'enlacèrent tendrement, mais le cœur de Jeanne bondissait dans sa poitrine.

— Mahaut m'a appris. Flore est-elle en sécurité avec ce rémouleur ?

La comtesse la repoussa délicatement. Elle avait eu le temps, de son côté, de s'en convaincre et s'apaiser.

— Oui. C'est un ami, chargé depuis longtemps de la protéger. Il se trouvait déjà sur place quand Gui est arrivé. Je suppose qu'il avait dû anticiper son avancée.

Jeanne sentit ses épaules s'alléger un peu. Elle s'écarta, lui retourna son sourire.

— Savez-vous où il compte l'emmener ?

— En Angleterre. Chez son oncle, un ancien Templier, celui-là même auquel Jacques de Molay confia l'or du Temple, voulut la rassurer tout à fait la comtesse.

Elle n'obtint que de voir sa fille pâlir à nouveau.

— L'Angleterre ? La traversée de la Manche est chère. Et c'est sans compter les nombreux péages auxquels ils seront confrontés. En auront-ils les moyens ?

La comtesse lui cueillit la joue dans sa paume. Elle regrettait tant d'avoir dû lui révéler la vérité. Elle eût préféré ne jamais l'impliquer. Charles IV serait mort et Jeanne aurait commencé à vivre. Sans rien soupçonner. Au lieu de cela, sa fille se retournait les sangs pour une cause qui n'était pas la sienne.

Elle la reprit dans ses bras.

— Cesse de te tourmenter. Armand est un homme de ressource. S'il venait à manquer d'argent en atteignant Paris, il n'hésiterait pas à contacter son demi-frère, Guillaume de La Broce.

Guillaume de La Broce ? Le frère d'Armand ? s'étrangla Jeanne.

Elle recula.

— Dois-je entendre par là que tous deux connaissent le secret des gardiens ?

La comtesse se mordit la lèvre, mais elle ne lut aucun reproche dans le regard de sa fille, aucune jalousie à l'idée d'avoir été, à l'inverse des deux hommes, trop longtemps écartée de la vérité.

Elle brûle d'angoisse. Je dois la rabattre au plus vite, comprit-elle devant ses traits tirés.

— Jacques de Molay avait foi en eux et je leur ai renouvelé ma confiance. J'ai demandé au sieur Guillaume de veiller discrètement sur toi à Paris.

Voici qui explique pourquoi il m'a permis de filer.

Elle n'en fut pas plus soulagée.

— Il n'aurait rien pu empêcher. J'ai été démasquée en voulant achever votre œuvre.

La comtesse fronça les sourcils, surprise.

— De quelle œuvre parles-tu ?

— La mort des Capétiens.

Un sursaut.

— Doux Jésus, Jeanne ! Tu as cru que c'était moi qui les avais occis ?

Jeanne trembla soudain sur ses certitudes.

— La liste…

— Je l'ai rédigée, oui, mais Guillaume de La Broce a refusé que je m'expose. Il était le mieux à même d'agir de l'intérieur sans qu'on le soupçonne. Oh mon Dieu ! Tu as essayé de tuer Charles, devina la comtesse, saisie, en voyant sa fille se liquéfier.

Elle la soutint jusqu'au lit, l'aida à s'asseoir puis se précipita vers un pichet. Choquée par le poids de ses erreurs, Jeanne la regarda verser l'eau dans un gobelet, puis revenir vers elle et le lui tendre.

— Tu es livide. Bois, lui ordonna sa mère.

Jeanne obéit, comme lorsqu'elle était enfant, devant ce regard qui ne souffrait aucun refus. Vestige d'une époque où sa mère était forte, puissante, mais aussi généreuse et juste.

Comment ai-je pu me fourvoyer à ce point? hurla sa conscience tandis qu'elle noyait sa gorge trop sèche.

— Comment? demanda enfin la comtesse.

Elle avait besoin de savoir, ne serait-ce que pour admettre qu'elle avait, sans le vouloir, convaincu sa fille de tuer son amant.

Jeanne soupira.

— Il m'avait raconté que ses frères avaient reçu une plume de colombe peu de temps avant leur mort. Je m'en suis servie pour élaborer un sortilège destiné à ce que son amour pour moi l'étouffe. Mais j'ai dû percer un garde pour fuir Maubuisson et dans la précipitation j'ai perdu cette aumônière que le roi m'avait offerte. Guillaume de La Broce m'a dit qu'elle avait été retrouvée.

Elle releva la tête en direction du visage, tendu, de sa mère.

— Je ne peux pas retourner à Paris. Ce qui est une bonne chose en soi puisque c'est le manque de moi et la douleur de mon absence qui, à terme, tueront Charles. J'ai cavalé pour vous prévenir de mettre Flore en sécurité. Je suis navrée. J'arrive trop tard.

La comtesse balaya l'air chaud d'une main vive.

— Je ne te permettrai pas de le croire. Je suis bien assez coupable de ce que tu viens de faire. Gui était déjà reparti à l'heure où tu perçais ce garde. Et je doute qu'il parvienne à saisir Flore à présent qu'elle est sous la protection d'Armand. Ne te soucie plus d'elle. Il s'agit désormais de te protéger, toi.

— Je ne vais pas rester à Rethel. J'ai assez d'argent pour gagner la Flandre romane. Attendre la mort de Charles. Je m'inquiète seulement de vous. Entre moi qui ai déposé cette plume et Flore en fuite, l'inquisiteur ne tardera pas à comprendre que vous êtes impliquée.

La comtesse refusa de l'affoler davantage en lui avouant que l'empressement de Robert Gui annonçait déjà sa chute. Son sang pulsait de nouveau, vif, dans ses veines, et cela faisait longtemps qu'elle ne s'était sentie aussi lucide.

— Alors il faut lui opposer ce que le royaume y perdrait. Et je n'en ai qu'un seul moyen. Retrouver le tombeau de sainte Colombe. Tant qu'il reste perdu, je ne peux pas remplir la sainte ampoule et aucun roi n'est légitime sur le trône de France. Personne ne voudra que cette situation perdure davantage.

— Certes. Mais le retrouver comment ?

Jeanne était à nouveau diaphane. La comtesse emporta le gobelet, en refit le plein, attendit que sa fille l'ait vidé pour répondre :

— Comme je te l'ai raconté à ta dernière visite, sitôt qu'on trancha la tête de Colombe, son sang devint d'ambre. J'ai le sentiment que quelque chose est à l'origine de ce miracle. Pas seulement le fait qu'elle ait été chrétienne et martyrisée. Autre chose, de sacré, un objet peut-être, dont je connaissais l'existence et que, par mesure de sécurité, ma mémoire a effacé avec l'emplacement du tombeau.

Jeanne fronça les sourcils. Boire lui avait rendu quelques couleurs. Sa gorge était soudain moins sèche, les battements de son cœur moins désordonnés. Elle prit le temps d'une grande inspiration pour intégrer cette nouvelle donnée puis demanda :

— N'avez-vous aucune idée de ce que cet objet pourrait être ?

— Je crois qu'il fait écho au rôle des gardiens. Qu'il en est complémentaire. Que sans lui, leur présence ne suffirait pas à la production du baume. J'ai l'impression qu'il appartient à l'histoire de Colombe, à ses origines. Mais tout est confus dans ma tête. Or, en retrouver la teneur pourrait réveiller ma mémoire, me permettre de retrouver ce cercueil.

— Et de là, en ultime recours, interdire à quiconque de lever la main sur Flore, sur moi ou sur vous.

— Tu as tout compris, sourit la comtesse.

— Vous m'avez dit que Guillaume de La Broce était averti de votre secret. Ne lui avez-vous pas parlé de cet objet ? demanda Jeanne.

La réaction positive de sa mère lui faisait du bien, lui rendait de l'espoir, de la force.

— Non, hélas. Depuis des années, il cherche de son côté, compulsant les archives secrètes du Temple que Jacques de Molay avait dissimulées avant son arrestation. Jusqu'à maintenant il n'a rien trouvé.

— Alors que puis-je ? s'embarrassa de nouveau Jeanne qui ne se voyait pas réussir là où ces initiés avaient échoué.

— Te rendre à Sens, emprunter le passage de l'ancienne poterne Saint-Didier et pénétrer dans la crypte de l'abbaye Sainte-Colombe. Les événements qui ont précédé son exécution s'étalent en fresques sur les murs. J'y ai usé mes yeux plus que de raison. Ton regard à toi, qui ne connaît rien d'elle, sera neuf. Si aucun détail ne te frappe, va prier à la fontaine d'Azon, là où Colombe fut décapitée. Dieu t'entendra peut-être. À moins que ce ne soit elle. Veux-tu essayer ?

Jeanne hocha la tête. C'était le moins qu'elle pouvait faire et elle se sentait de nouveau capable de chevaucher. La comtesse l'avait déjà deviné à ses gestes, au ton de sa voix. Elle s'en fut récupérer la clef dont elle s'était servie la veille, la lui déposa dans la main.

— Elle ouvre cette fameuse poterne, mais aussi un passage dans la chapelle de Gusan. Tu en trouveras facilement l'entrée. Une croix templière l'indique. Emprunte-le si tu dois revenir ici. Cela t'épargnera de mauvaises rencontres. Va, maintenant, ton père pourrait rentrer et…

— Dans la mesure où il ignore tout de votre secret, mieux vaut qu'il ne sache rien du mien, l'entendit Jeanne qui avait cessé de trembler.

— Jeanne…, la retint sa mère comme elle voulait s'élancer. Je regrette que tu te sois sentie obligée d'occire le roi. Ce n'était pas ton rôle.

— Je parviendrai à l'assumer.

— Je n'en doute pas. Sache seulement que je t'aime. Plus sans doute que tu ne peux l'imaginer.

Jeanne sentit sa gorge se nouer.

— Moi aussi je vous aime, murmura-t-elle avant de tourner les talons et de dévaler l'escalier.

À mi-parcours elle trouva Mahaut qui venait à sa rencontre.

— Pas le temps, lui lança-t-elle devant son plateau chargé de deux bols et d'un pichet.

La servante lui barra le passage.

— Pas le temps pour du lait de poule ? Alors là...

Jeanne le lui concéda. Les minutes précédentes venaient de lui prouver à quel point elle était épuisée. Elle enleva le broc et en porta le bec à ses lèvres.

Saisie, Mahaut la regarda engloutir la crème comme une vulgaire pinte.

— Vous avez bien piteuse mine, damoiselle. Y a une poularde qui mijote, avec des petits navets...

Jeanne secoua la tête, l'obligeant cette fois à lui céder le passage dans un soupir.

Si je ne peux retourner en arrière, je peux encore empêcher que la situation s'aggrave, se convainquit-elle en déboulant dans la cour.

Elle n'avait plus de temps à perdre.

36.

Paris.

Cachot du palais de la Cité.

Gabriel laissa échapper un gémissement. Un de plus dans l'obscurité de sa geôle. Figure d'un tombeau qu'il appelait de toute son âme. Il avait épuisé son courage, sa force entre les mains du bourreau. Et la douleur, depuis, ne le lâchait pas plus que la terreur. Elle suintait par chacun de ses pores au même titre que le sang. Elle se terrait dans le grincement d'un gond, dans l'écho d'un pas, dans la lueur d'une torche qui se déplaçait dans le couloir adjacent, dans un cri qui, soudain, déchirait le silence. Il avait compris que d'autres étaient emprisonnés.

Des femmes, avait fini par lui concéder le bourreau pendant qu'il appliquait des bandes de lard pour soulager sa chair à vif. Des Flore Dupin. Venues de la France entière. Six pour cette fournée. On attendait la septième. La sienne.

Mais Gabriel ne savait toujours pas pourquoi. Ni vraiment ce que l'on espérait d'elle, de lui. La clémence du roi lui était aussi incompréhensible que l'acharnement de Robert Gui. Lors, chaque bruit, chaque mouvement qui, se rapprochant de sa cellule, apportait l'idée d'un nouvel interrogatoire, lui arrachait le souffle.

Il décala son épaule du mur salpêtreux, sentit une larme forcer le barrage de ses lèvres. Il ne les sentait plus couler. Il n'éprouvait plus aucun sentiment sinon cette panique qui ondulait comme un serpent. Tantôt endormi, tantôt dressé. Elle l'empêchait de penser, de s'assoupir, de respirer. Et quand, épuisé de lutter contre elle, sa garde tombait, l'image de Flore, de son regard pervenche, de ses mots tandis qu'elle dévalait la colline et le laissait seul avec ses remords, le poignardait. Il eût voulu qu'elle soit amenée là, à lui, juste pour qu'il puisse l'étreindre avant de mourir et lui demander pardon. Et tout aussitôt, son égoïsme se heurtait à l'idée de ce qu'elle devrait endurer à son tour. Lors il éprouvait tant de dégoût envers lui-même, envers sa faiblesse, qu'il en avait des haut-le-cœur.

Et la boucle recommençait.

Étendu sur une planche de bois surélevée, il se mit à grelotter quand il avait tant souffert de la chaleur à Rethel, tant éprouvé le feu sous le fer de la question.

La fièvre, comprit-il, presque soulagé. *Qu'elle monte, vite, et m'emporte avant qu'ils ne reviennent me chercher.*

Il s'abandonna à ces frissons qui le parcouraient, espérant hâter leur malignité. Mais ils passèrent et, étrangement, ce fut moins douloureux.

Non. Impossible. Ce ne peut…, se tétanisa-t-il en sentant la paume de ses mains chauffer au contact de sa peau.

Le don. Il agit sur moi.

Il laissa échapper un sanglot. Faudrait-il qu'il se guérisse quand il voulait mourir ? offre une peau neuve à éplucher ?

— Pitié !… Pitié seigneur !… Pas ça !… Pas ça ! gémit-il.

Mais les ondes bénéfiques se répandaient à présent en lui, tandis que son corps tour à tour chauffait ou se glaçait.

Empêcher. Je dois l'empêcher, décida-t-il, paniqué.

Il se redressa, clopina péniblement dans l'obscurité, se heurta aux limites de sa geôle, hurla de douleur lorsque son bras brûlé frôla la pierre. Il tomba à genoux, le souffle court, guetta.

Plus rien… C'est terminé…

Il se mit à sangloter. C'était la première fois qu'il refusait la bénédiction. La première fois qu'il repoussait la main de Dieu. Il se sentit plus lâche que jamais. Lâche devant la souffrance, lâche devant les événements.

De nouveau, le visage de Flore, accusateur, blessé, dansa devant lui.

N'as-tu donc trouvé que la brutalité pour que je t'épouse ? Est-ce donc ta façon d'aimer ? semblait-elle crier.

Était-ce pour cela qu'il était puni ? Pour avoir voulu prendre ce qu'elle refusait de lui donner ?

— Je m'en veux tellement !… Tellement…, hoqueta-t-il dans l'obscurité.

Si seulement il pouvait comprendre ce qui s'était passé. Mais sa mémoire s'arrêtait là, à cette image d'elle, à ce moulin vers lequel, piteux, il était remonté, espérant le retour de son père pour se libérer de sa contrainte et courir à la ferme. Si pressé de la supplier de ne pas rompre leurs fiançailles qu'il s'était réjoui du galop sur le chemin, persuadé que c'était l'intendant du château, qu'une fois ses sacs chargés sur le chariot, il pourrait enfin boucler sa porte. Il était sorti pour accueillir le vieil homme. Au lieu de cela, c'était l'inquisiteur et son escorte qu'il avait trouvés. Il ne se rappelait pas même au bout de combien de temps, la tête cognant le flanc du cheval au galop, il s'était évanoui. Pour se réveiller enchaîné, face au bourreau. Non, il ne comprenait toujours pas. Ce qu'on lui avait dit, ses futurs beaux-parents assassinés par leur fille ou par Armand, n'avait aucun sens. Jamais Flore ne les aurait tués, ni n'aurait suivi leur meurtrier. À moins que ce ne fût de force.

Folie !

Flore était Flore. Fille de fermier. La plus délicieuse d'entre toutes. Il ne l'avait jamais entendue blasphémer, manquer de respect à quiconque. Alors l'imaginer commercer avec le diable ! participer à une conjuration contre le roi et ses prédécesseurs !

Folie. Folie !

Ils se méprenaient. Tous. Et il n'avait eu cesse de le crier. Armand, un Templier ? Il ne l'avait jamais connu que comme rémouleur. Et Gabriel l'appréciait pour ce qu'il était : un honnête homme, franc, chaleureux, toujours prêt à rendre service.

— Folie.

Il hoquetait, le front contre le mur maçonné, refusant, comme il l'avait fait sous le joug des tenailles, l'image que l'inquisiteur voulait le forcer à accepter. Celle de Flore l'abandonnant, fuyant avec son complice. L'homme qu'elle avait choisi, qu'elle aimait.

Elle n'a pas eu le choix. Non, elle n'a pas eu le choix.

Peu lui importait pourquoi, dans quelles circonstances. Trop peu de temps s'était écoulé entre son départ et l'arrivée de l'inquisiteur au moulin. À peine avait-elle dû avoir celui d'atteindre la ferme.

Avait-elle trouvé ses parents au sol ? Armand était leur ami. Avait-il assisté, impuissant, à leur meurtre ? craint que Flore ne soit tuée aussi ? Armand battait campagne sans cesse. Avait-il vu ailleurs qu'on procédait à l'arrestation d'une Dupin ? Si c'était le cas, il le bénissait.

Il balayait frénétiquement les hypothèses.

Au diable ce que croient le roi, Robert Gui. Même fâchée, Flore ne m'aurait pas abandonné. J'ai seulement été emmené avant qu'elle et Armand ne puissent me prévenir.

— Pitié, seigneur. Faites qu'on ne la saisisse pas, qu'on ne lui inflige pas ce traitement.

Il frotta de nouveau son bras le plus abîmé contre le mur, hurla.

Contrer son propre instinct de survie. Laisser la pestilence pourrir ses plaies. Ne pas offrir à ses bourreaux le pouvoir de le torturer indéfiniment. Car ils n'obtiendraient jamais de lui autre chose que la vérité : il ignorait où Armand l'avait emmenée.

Reprendre le pouvoir. De vie et de mort.

Il se coula au sol, se recroquevilla sur lui-même dans la poussière et les excréments des rongeurs qu'il entendait filer.

— Finissez-en, Seigneur, supplia-t-il. Vite.

La douleur pulsait. Contre toute attente, elle lui devint amie. Parce qu'elle interdisait au don de jaillir. Parce qu'elle lui interdisait de guérir et peut-être, demain, d'assister au martyre de Flore.

Il lui sembla soudain retrouver son parfum autour de lui. Il s'y abandonna. Lors, il s'endormit, apaisé, dans ses rets, avec la sensation de cueillir un bouquet de pervenches.

37.

Ardennes.
Rethel.

Le départ des soldats blessés avait laissé Louis de Dampierre au début d'une journée difficile.

Depuis que la nouvelle de la mort des Dupin s'était répandue dans Rethel, la cité ne vivait plus que pour comprendre ce qui s'était passé, ce qui avait justifié la venue de l'inquisiteur. Or, personne ne semblait pouvoir y répondre. La disparition de Gabriel avait plus encore ajouté au mystère. Dans un premier temps, les meuniers avaient pensé que leur fils avait fui avec Flore et l'Armand, mais la rumeur, le retour des pisteurs que l'inquisiteur avait lancés après les fuyards, avaient écarté cette hypothèse. Louis de Dampierre avait dû annoncer aux malheureux meuniers ce qu'avant de quitter son logis les soldats blessés lui avaient révélé : Robert Gui avait quitté la région avec leur fils. Il souhaitait le présenter devant le roi. L'idée que Gabriel soit soumis à la question terrorisait ces braves gens, déjà choqués par l'assassinat de leurs amis. Louis de Dampierre les avait assurés de son soutien. Il entendait bien résoudre cette affaire et demander audience au roi pour plaider l'innocence de Gabriel. S'il n'avait pas réussi à les rassurer, au moins leur avait-il rendu espoir pour quelques heures.

Lui-même oscillait entre la colère, la soif de justice, l'exaspération et la tristesse. Émotions que partageait son prévôt, qui l'avait rejoint à Rethel.

Louis n'avait pas même pris le temps d'une collation, non qu'il n'eût voulu rejoindre son épouse dont la fragilité le préoccupait, mais ce drame l'affectait profondément. Comme si le fait qu'on ait tué ses gens et emmené un autre d'entre eux l'avait amputé d'une part de lui-même, de son autorité.

Au fil de la journée, il s'était rendu compte qu'il en était de même pour les habitants de Rethel. Les témoignages s'étaient succédé, sans que lui ou le prévôt puissent en trouver un seul, commerçant, moine, paysan ou gueux, qui pût se plaindre du rémouleur. Au contraire. Tous leur dépeignirent Armand comme un honnête homme. Le fait même qu'il ait abandonné son bien derrière lui pour sauver Flore témoignait d'une attitude chevaleresque.

Quant à elle, il leur suffisait de se souvenir de sa prévenance à l'égard des siens, de son chagrin et du soutien qu'elle avait apporté à ses parents chaque fois qu'un de ses frères et sœurs était mort, pour que les villageois la disculpent d'emblée de ce crime.

Le crépuscule basculait dans une poudreuse argentée lorsque les deux hommes s'étaient annoncés à la ferme.

Les proches des Dupin, de même que leurs amis, s'y étaient réunis pour la veillée. Louis de Dampierre ne voulait pas que l'ombre de la culpabilité de Flore plane sur l'enterrement prévu le lendemain. Les condoléances qu'il leur présenta étaient à l'image de ce qu'avait été sa journée. Empreintes de tristesse, d'incompréhension et de soif de réponses.

Il leur remit une bourse replète pour payer les frais, puis laissa le prévôt affirmer qu'il entendait bien retrouver Flore, achever de l'innocenter et la rendre à son héritage.

À l'instant de remonter en selle, Louis nota un plissement soucieux au front du prévôt. Il avait toute confiance en cet homme d'une quarantaine d'années, doté d'un esprit remarquablement vif. C'était un être que rien ne détournait jamais de la quête de la vérité.

— Vous doutez de votre promesse..., observa-t-il, brisant le silence inhabituel qui régnait dans la cour.

— J'ai pu juger par moi-même de la détermination de Robert Gui. Je crains non seulement qu'il ne saisisse Flore avant moi, mais qu'il ne lui réserve le même sort qu'à ses parents.

Louis de Dampierre hocha la tête.

— Vous penchez pour une condamnation arbitraire.

— Quoi d'autre ? Les entailles sur leurs corps sont propres, précises. La mort a été instantanée.

— L'œuvre d'un soldat aguerri, approuva le comte en empruntant le chemin qui menait à la grand-route.

— Ils l'étaient tous dans le sillage de Gui. Quel meilleur argument pour forcer Flore à les suivre que de la confronter à cet assassinat, au danger qu'elle encourrait à demeurer à portée du meurtrier ?

— C'est une hypothèse solide en effet. Comme vous, je ne crois pas une seconde à cette histoire de malédiction que m'a servie Robert Gui et dans laquelle elle serait impliquée.

— Et pourtant, l'Inquisition ne se déplace pas pour rien.

— Vraiment ? Avez-vous oublié le sort qu'elle fit à la Lumelle il y a dix ans ? Simplement parce que cette pauvre femme s'était inquiétée de voir son grenier envahi par les corbeaux ?

— Non. Vous avez raison, admit le prévôt en retrouvant l'image de la vieille bergère dont le corps disloqué par la question avait fini sur un gibet.

— Le fait que Flore soit revenue à Rethel pour se placer sous ma protection prouve qu'elle craignait le pire. Et de fait, elle l'a trouvé puisque ces chiens l'attendaient.

— Avez-vous découvert par où elle et l'Armand avaient filé ?

— La poterne nord.

— Je la croyais condamnée ? s'étonna le prévôt à l'orée du bois.

— Je l'ai retrouvée ouverte, mais point forcée, avoua Louis qui n'était pas encore parvenu à l'expliquer.

— Étrange. J'ai le souvenir que la clef avait été perdue il y a longtemps.

— Pas pour tout le monde visiblement. J'ai placé une garde aux échauguettes[1]. Quiconque tentera de les franchir sera arrêté.

1. Tours qui encadrent une porte de château ou de ville.

— Y compris l'inquisiteur ?

Louis serra les poings sur sa selle.

— Lui le premier, affirma Louis avec force. Mais je ne pense pas qu'il revienne. Il a dû galoper à bride abattue pour présenter son prisonnier au roi. J'entends bien faire de même. Je quitterai Rethel au lever du jour. Gabriel est un bon garçon. Et je me porterai garant de Flore. Quelles que soient les raisons qui ont poussé Robert Gui à occire mes métayers, je doute que notre bon sire approuve. Nous nous verrons à mon retour. Jusque-là, je vous souhaite bonne chance.

— À vous aussi, monsieur.

Moins confiant qu'il ne voulait le montrer, Louis regarda un instant le prévôt s'éloigner vers le village voisin où il demeurait, avant de se diriger vers ladite poterne. Les archers étaient en place. Satisfait, il remonta le sentier à fleur de falaise sur laquelle trônait le vieux donjon, abandonné depuis qu'il avait fait bâtir le château comtal.

Désormais, sans son ordre, nul ne pouvait plus, de nuit, pénétrer dans la cité.

Lorsqu'il entra enfin chez lui, il fut agréablement surpris de découvrir son épouse apaisée. Ils dînèrent face à face et, durant tout le repas, il lui sembla retrouver sa femme, telle qu'elle était. Avant. Elle participa à leurs échanges, approuvant sa décision d'intervenir auprès du roi, assurant qu'elle se rendrait elle-même au moulin pendant son absence pour tenter d'adoucir l'inquiétude des meuniers. Lorsqu'il monta l'escalier derrière elle,

Louis de Dampierre ne put s'empêcher de noter qu'elle avait recouvré sa grâce et son port d'hier.

Un miracle? se demanda-t-il en refermant la porte de leur chambre.

Il le crut plus encore lorsqu'elle lui ouvrit ses bras en murmurant :

— Aime-moi, Louis.

Cela faisait longtemps. Il l'étreignit avec tendresse, la bascula sur le lit et se perdit dans ses lèvres en espérant que rien ne viendrait troubler ce moment.

Il se trompait.

Le cor sonna l'alerte qu'ils dormaient tous deux dans les bras l'un de l'autre. Aussitôt sur le qui-vive, Louis de Dampierre repoussa vivement les draps, l'oreille aux aguets. Un deuxième, puis un troisième coup de trompe l'assurèrent qu'il n'avait pas rêvé.

— On nous attaque, grinça-t-il en se levant précipitamment.

Déjà, regretta la comtesse.

Elle eût voulu avoir plus de temps, celui au moins de l'éloigner, comme elle avait éloigné Jeanne. Elle se demandait même comment sa fille avait été dupe, avant de se rappeler à quel point elle était perturbée.

Louis ne sait rien. Ils le relâcheront, se réconforta-t-elle en le regardant enfiler ses vêtements à la hâte.

Un quatrième son de cor le retourna vers elle.

— Habillez-vous. Nous allons gagner le donjon par l'escalier nord.

Elle enfila sa cotte par-dessus son vêtement de nuit. À peine pourtant eurent-ils franchi la porte que des hurlements de peur et de douleur s'élevèrent en contrebas, dans la grand-salle, répondant au cliquetis des armes.

Le sang du comte ne fit qu'un tour.

— Les chiens ! Ils s'en prennent à nos valets !

La comtesse savait qu'il ne le permettrait pas. Déjà il tirait son épée, prêt à défendre ses gens.

— Fuyez, lui ordonna-t-il par-dessus son épaule tout en s'élançant dans l'escalier.

La comtesse ne bougea pas. Si elle avait pu être certaine que Jeanne retrouverait le cercueil de sainte Colombe en si peu de temps, elle lui aurait obéi. Mais sa fuite n'aurait servi qu'à enrager plus encore le roi et l'inquisiteur. Mieux valait qu'elle soit prise, qu'elle mente. Elle dirait qu'elle aimait Jacques de Molay, qu'elle avait voulu le venger, qu'elle seule était impliquée dans cette malédiction, que pour brouiller les pistes elle avait, sur le billet apporté par la colombe à Philippe le Bel, donné le nom de la fille de son métayer. Charles IV s'en contenterait. Il disculperait Jeanne de toute accusation, ferait cesser la traque de Flore.

Peu importait ce qui lui arriverait. Pour l'heure elle était toujours la gardienne de sainte Colombe et de la sainte ampoule, celle devant laquelle le grand maître de l'ordre du Temple s'était agenouillé.

Lors, droite et digne, la comtesse de Rethel attendit qu'on vienne l'arrêter.

38.

Ville de Sens.

Épuisée quand elle eût voulu avancer encore, Jeanne de Dampierre avait été contrainte de faire halte dans une auberge peu de temps après avoir quitté Rethel. Elle s'était efforcée de manger, de boire de l'hydromel avant de se laisser tomber, tout habillée, sur la couche. Un parfum de fleurs avait empli ses narines, lui ramenant le souvenir des draps blancs qui, l'été, au sortir des lavoirs, recouvraient les champs de son enfance.

Elle s'était éveillée en plein jour sans même s'être souvenue que le sommeil l'avait fauchée. Son esprit était de nouveau suffisamment vif pour appréhender le mystère qui résistait à sa mère.

Juchée sur un cheval frais, elle avait rejoint la grand-route à l'approche de Sens, après avoir coupé au plus court par d'antiques chemins percés de vals fleuris, de vignes et de coteaux, domaines des bergers. La cité fortifiée s'offrit à elle dans une vallée aussi verdoyante que colorée par sa multitude de prieurés[1] et de vestiges romains.

Enfin ! se réjouit-elle pour tromper ce sentiment d'urgence et d'inquiétude qui ne la quittait pas.

Soulevant des envolées de perdreaux que les moissons invitaient au festin, elle dépassa l'abbaye Saint-Didier, puis mit pied à terre à l'orée des remparts. Elle attacha son cheval au premier arbre d'une allée de peupliers qui s'inclinait en pente douce jusqu'aux berges de la rivière, revint à pied jusqu'au battant massif, sortit la clef de sa poche et la fit jouer dans la serrure.

Sa torche allumée, elle descendit l'escalier de l'échauguette pour se retrouver dans une pièce circulaire qui avait autrefois dû servir d'armurerie. Flèches, traits d'arbalètes, pierres emplissaient encore de grands fûts tapissés de toiles d'araignées. Jeanne dégagea le couloir maçonné qui s'ouvrait devant elle, puis s'empara de son silence.

Elle marcha longuement, consciente que la ville de Sens s'animait au-dessus de sa tête. Elle se sentait mieux d'avoir parlé à sa mère. Parvenue sans encombre à l'autre bout, elle déverrouilla la porte, le cœur emporté par une excitation qu'elle n'avait pas ressentie depuis longtemps.

L'ouverture ne lui révéla tout d'abord qu'une trouée obscure. Il lui fallut s'avancer pour découvrir les

1. À cette époque, les sculptures des façades des églises rutilaient de couleurs (portail, rosace, gargouilles, saints dans des niches, etc.). Il en était de même pour l'intérieur dont les pierres étaient souvent dorées à la feuille, y compris les croisées d'ogives.

fresques. Elle enflamma les flambeaux piqués entre les scènes, subjuguée par l'éclat des mosaïques que la lueur dansante des flammes faisait miroiter.

Celle qu'elle découvrit en premier, en face d'elle, représentait un buisson en flammes, dont les branches formaient une tête surmontée de cornes.

Le Baphômet.

Stupéfiée par sa similitude avec la tache de naissance que lui avait montrée sa mère, elle s'approcha du second tableau. Jusqu'ici elle n'avait vu que des représentations de Colombe, dans la niche d'une église, dans une chapelle. Là soudain ce n'était plus la sainte mais la jeune femme qu'elle découvrait par le jeu des couleurs. Brune, élancée, les yeux verts. Cernée, comme ses trois amis, par des lanciers. Jeanne reconnut les abords de Sens au théâtre antique et aux arènes dont les ruines voisinaient toujours la cité. Plus loin, elle retrouva la jeune femme seule, ligotée face à l'empereur Aurélien. Lui et son fils contemplaient une marque à son cou.

Le Baphômet ! Comment est-il possible qu'elle en ait déjà été marquée ? Aurait-elle été une gardienne ? Mais de quoi ? De cet objet dont parle mère ? Est-ce à cause de cela qu'elle a été arrêtée ?

Elle étudia le dessin suivant avec plus d'attention encore. L'œil furieux de l'empereur, son index tendu en direction des arènes vers lesquelles on emmenait les compagnons de Colombe, formait une menace. Son attention fut attirée par quelques mots inscrits dans une frise en dessous des noms de l'empereur et de son fils. Jeanne gratta le salpêtre qui les recouvrait.

« Non cupio ducere. Et non negasti fidem meam. » Je ne l'épouserai pas plus que je ne renierai ma foi, traduisit-elle, perplexe.

Aurélien n'était pas chrétien, il les pourchassait même. Alors pourquoi avoir choisi Colombe comme épouse pour son fils ? À cause de son lignage ou du Baphômet ?

La scène suivante montrait Colombe dans une cellule, protégée par un ours qui s'était interposé entre elle et un homme au sexe dressé.

Une nouvelle inscription suivait, sous le visage déformé de l'empereur.

Incendiez la prison. Qu'il ne reste rien, ni d'elle ni de la bête !

Elle frémit, s'attarda sur la représentation des arènes, dont les flammes cédaient sous des torrents de pluie.

Quatre mosaïques étaient ensuite accolées. La première montrait Colombe agenouillée en prière près d'une fontaine, tandis que le fils d'Aurélien lui abattait son épée sur la nuque. Sur la deuxième, sa tête coupée ruisselait d'un sang ambré sur des plaques de pierre. Des animaux étaient couchés près d'elle, dont un cerf qui mêlait sa ramure à celle d'un buisson en flammes, formant l'image du Baphômet. Sur la troisième, un aveugle recouvrait la vue en touchant le corps de Colombe puis l'emportait dans ses bras. La dernière, enfin, indiquait son nom : Aubertus. Elle le montrait bâtissant une chapelle près d'une source.

Jeanne recula, pivota sur elle-même pour englober à nouveau l'ensemble du récit illustré.

274. Colombe est arrêtée par Aurélien aux abords de Sens. Il lui propose le mariage avec son fils si elle abjure sa foi : elle refuse. Il fait exécuter ses compagnons : cela ne change rien à sa détermination. À son tour elle est conduite aux arènes, livrée à la concupiscence d'un quidam : un ours s'interpose, empêche qu'il la souille. L'empereur ordonne alors qu'on incendie la prison : les flammes cèdent devant une pluie torrentielle. Le fils décide de son exécution, près de la fontaine d'Azon où l'a découverte mon ancêtre, Aubertus.

Donc, puisque la marque au cou de Colombe, sur la hanche de ma mère et sur le ventre de Flore est la même, c'est que tout est lié à cette tache. Colombe était déjà une gardienne. Reste à savoir de quoi. Rien ne l'indique. Je ne vois pas non plus d'indice me permettant d'imaginer l'endroit où mère aurait pu transporter son cercueil.

Un vertige la saisit, lui faisant soudain prendre conscience que l'air, déjà rare dans cette pièce close, était mangé par les torches.

Sotte que je suis. Cet endroit est un tombeau. Si je perds connaissance, il va devenir le mien. Je reviendrai plus tard si nécessaire, décida-t-elle.

Au moment d'ouvrir la porte, son œil accrocha un objet circulaire, de la taille d'une pièce, à terre.

Tout à sa soif de découverte, elle ne l'avait pas remarqué à son arrivée.

Elle le ramassa, le fourra dans sa poche et remonta le souterrain à pas vifs, oppressée par ce halo de lumière qui, autour d'elle, déclinait.

39.

Paris.

Louis de Dampierre se réveilla en sursaut. L'obscurité régnait autour de lui, l'empêchant de se repérer dans le temps et l'espace. Il mit quelques secondes à se rendre compte qu'il était assis, les bras tirés en arrière. Il tenta de les ramener à lui puis de les désunir. En vain. Il était ligoté.

Sitôt qu'il le comprit, les souvenirs affluèrent.

Quand il était sorti de sa chambre avec son épouse, on croisait déjà le fer dans la grand-salle du château de Rethel, basculant meubles et chandeliers.

Il se revit dévalant les marches de la tour, son épée à la main, son poignard dans l'autre.

À mi-marches, il avait compris son erreur. Ce n'était pas la garde de l'inquisiteur qui revenait en force, mais des mercenaires, à en juger par leurs habits. Et il en avait assez commandé au combat pour savoir que ces hommes-là n'avaient ni honneur ni pitié.

Il lui avait suffi d'en voir un percer le ventre de Mahaut qui, saisie au collet, se débattait, pour qu'il devienne enragé. Il avait frappé le fer avec autant de hargne que de prestance, transperçant des gambisons de cuir, empiéçant des membres. Sans avoir le sentiment de briser le nombre.

Et puis soudain :

— Suffit ! Suffit ou je la saigne ! avait-il entendu gueuler.

Il avait ressorti la dague du cou de son adversaire. Le laissant s'effondrer, il avait pivoté d'un bloc en direction de l'escalier. Il y avait vu son épouse solidement maintenue, un poignard sous la gorge. Son regard le suppliait à la fois de céder et de lui pardonner.

Glacé jusqu'à la moelle, vaincu déjà par sa peur de la voir rouler, en sang, jusqu'à ses pieds, Louis de Dampierre s'était immobilisé.

Un homme s'était alors détaché de l'ombre d'une pièce voisine. Il était habillé de noir, jusqu'au masque qui lui recouvrait le visage.

— Je vous garantis la vie de la comtesse si vous capitulez.

Louis avait vu le regard de sa femme s'exorbiter. Il avait eu l'intuition qu'elle reconnaissait cette voix et refusait d'y croire.

Il se souvint d'avoir toisé cet individu de son mépris en désignant le corps de Mahaut qui tressautait à terre, d'avoir craché :

— Belle garantie en vérité !

Son ennemi ne portait pas d'armes. Il avait écarté les bras, christique dans son abomination.

— Je ne suis pas mes hommes. Capitulez et elle vivra.

Louis se rappela combien il avait voulu, à cet instant, se jeter sur cet individu, mais c'eût été sacrifier sa femme quand il était déjà cerné. Il avait jeté ses lames et avait, de lui-même, croisé ses mains au dos. Un des mercenaires lui avait recouvert le visage d'une cagoule.

Celle, sans doute, que je porte encore, devina-t-il avant que sa mémoire ne lui ramène le cri de rage de son épouse.

S'était-il soudain agité, avait-il réclamé qu'on la relâche, que l'inconnu respecte sa promesse ? Il ne se souvenait que d'une violente douleur à sa tempe, là où pulsait à présent un sang amer.

Il s'efforça au calme. Il ignorait ce qui s'était passé en réalité. Il avait si souvent vu l'esprit de son épouse basculer, l'avait si souvent entendue hurler dans ses cauchemars qu'il pouvait encore espérer qu'elle ait seulement été choquée par la scène, par le danger.

Il parvint à apaiser les battements désordonnés de son cœur.

Le seul moyen de découvrir la vérité est de te préoccuper de toi, d'abord.

Il s'efforça de dénouer ses liens. Il finit par comprendre que les nœuds avaient été formés de telle manière qu'ils se resserraient au lieu de se délier. Il n'y avait gagné que d'avoir la chair à vif. Il s'immobilisa, respira lentement pour ramener de l'air au travers du tissu.

Il y a forcément une raison à tout cela. Une rançon ? Pour le compte de qui ? Je n'ai plus d'ennemi à des lieues à la ronde et le pays est en paix. Si une bande de mercenaires avait sévi, le prévôt m'en aurait informé.

Chaque porte des remparts de Rethel possédait son propre signal d'alerte. Un code qu'il avait instauré afin qu'aussitôt le fort de sa garde sache l'endroit qui était menacé et s'y précipite.

Ils sont venus du nord. Par la poterne qui a permis la fuite de l'Armand et de Flore. Se pourrait-il que l'inquisiteur ait raison ? que ces deux-là soient autres que ce qu'ils prétendent ? qu'ils aient forgé une clef ? me retiennent ici ?

À nouveau il lut l'incrédulité sur les traits blêmes de sa femme. Elle avait déjà reçu ce rémouleur. Elle aurait pu reconnaître sa voix.

Quel intérêt auraient-ils à me nuire ? À moins qu'ils ne pensent que j'ai autorisé le piège, permis l'assassinat des Dupin, la séquestration arbitraire du fils des meuniers, l'embuscade des soldats dans la cité... Me disculper... Je dois me disculper.

— Holà ! gueula-t-il ! Holà ! qui que vous soyez !

Seul le silence lui répondit.

Il insista. Plus fort.

Jusqu'à ce qu'il perçoive des cliquetis sur le sol.

Il tendit l'oreille, à l'affût.

— Holà ! Qui êtes-vous ? Que me voulez-vous ? Je suis prêt à entendre, à parler.

Il perçut une respiration lourde près de lui, comme celle d'un animal qui rôdait.

— Bon sang. Où suis-je ? Qu'est-ce que c'est ?

Sa peur redoubla lorsqu'il sentit la chaleur d'un souffle sur ses mains. Deux crocs puissants succéder à une langue sur ses doigts.

Il hurla de douleur.

Alors seulement une voix résonna :

— Couché !

L'animal s'éloigna, le laissant entre l'angoisse et le soulagement. Quoi qu'on lui veuille, il venait de le comprendre, il n'était qu'au commencement d'un jeu pervers.

Il l'affronterait en guerrier qu'il avait été. Il se redressa sur son siège, dompta la douleur en apaisant sa respiration.

Des pas se rapprochèrent.

Au moins cette fois aurait-il un homme en face de lui.

— Que voulez-vous ? demanda-t-il d'une voix redevenue ferme.

— La vérité. Que savez-vous de la malédiction qui frappe les Capétiens ?

Louis de Dampierre s'attendait à tout. Mais pas à devoir répondre de ce qu'il ignorait.

40.

Abords de Meaux.

Au fur et à mesure que Rethel s'était éloigné, Flore avait acquis la conviction que, quoi qu'il advienne désormais, et bien qu'Armand lui semblât moins démonstratif, tous deux ne faisaient plus qu'un.

Peut-être parce qu'il s'était donné la peine, malgré sa blessure et tout en marchant, de lui enseigner les rudiments du combat au bâton, afin qu'elle ne se sente pas démunie aux abords des bourgades et des villes.

Lors, ce sentiment de solitude, de dépendance et de fragilité qui l'avait écrasée était en train de disparaître. Ne lui restait plus au cœur que du chagrin, des questions auxquelles elle avait admis devoir attendre les réponses. Et le remords d'avoir abandonné Gabriel à son propre destin.

Elle avait évité d'en parler à nouveau. Armand n'y pouvait rien. Et elle non plus. Elle restait persuadée que l'Inquisition avait épargné son fiancé et qu'il se trouvait toujours en son moulin, malheureux de l'avoir perdue, inquiet sans doute, jaloux sûrement de la savoir auprès d'Armand mais distrayant ses pensées dans le travail de meule.

Avec le temps, se disait-elle, *il se guérira de moi.*

Et c'était mieux ainsi, puisqu'un seul regard en oblique en direction du rémouleur lui confirmait ses sentiments.

Ils approchaient de Meaux qu'ils comptaient contourner par le nord à la prochaine bifurcation, lorsque soudain, la file des voyageurs dans laquelle ils s'étaient glissés ralentit devant eux.

— Fichue patrouille ! entendit-elle râler le conducteur d'un chariot d'où dépassaient les groins ronflants d'une armée de cochons.

— Z'ont pas fini encore avec c'te démone ? lui répondit un autre, chargé de billots au-dessus desquels deux bûcherons somnolaient.

— J'cré ben qu'y aura bentôt pus d'bois pour z'y pend ! vociféra un troisième larron dont Flore ne put voir ni les traits ni le métier.

Chaque fois le même refrain, s'agaça-t-elle.

Ce n'était pas la première fois qu'à l'abord d'une bourgade ou d'une ville des soldats vérifiaient les laissez-passer. Pas la première fois qu'on demandait le nom des filles, jeunes ou vieilles. Jusque-là, leur allure, leurs faces lépreuses les avaient dispensés d'être suspectés, mais le franc soleil autant que la sueur avaient eu raison de l'onction d'Adélys et elle sentait bien que, par endroits, la croûte laissait entrevoir une peau au grain trop fin pour que leur stratagème dure encore.

Elle ne put réprimer un frisson, d'autant qu'Armand lui avait saisi le bras pour l'obliger à s'accoler à lui entre une pierre levée et un platane. Depuis que la circulation s'était densifiée, ils étaient maintenus à l'écart, devaient marcher sur le bas-côté, à la lisière des fossés, parfois même, poussés du bâton, de l'autre côté.

Juchés sur leurs mules, deux moines les doublèrent sans un regard.

Si ces fichus soldats pouvaient faire de même, espéra-t-elle, reprise par l'angoisse.

Armand se pencha vers elle, chuchota :

— Ils n'arrêteront pas tout le monde. Baisse le menton.

Elle obtempéra, la gorge nouée.

Autant qu'il avait été possible, ils s'étaient d'abord tenus loin de l'axe principal, privilégiant de vieux tracés, marchant seuls au contact d'une nature qui éclatait de beauté et de lumière. Mais depuis qu'ils étaient entrés dans cette contrée, les marécages dominaient et, bien que le temps soit au sec et, de fait, les ruisseaux à l'étiage, les gués étaient recouverts par la brande. Au moindre faux pas ils se seraient enlisés. Armand avait alors estimé le risque et jugé que celui de se faire prendre était moindre. Sans compter qu'à regarder leurs pieds, à esquiver, à contourner les zones dangereuses, ils se détourneraient de leur chemin, perdraient du temps et au final s'épuiseraient à chercher une eau qui ne soit pas croupie, des racines et des fruits trop rares.

Elle avait souscrit à son jugement, mais à présent qu'elle voyait le flot des voitures, des montures et des piétons ralenti par le barrage, elle le regrettait. Chaque fois que les sergents demandaient à celui qu'ils arrêtaient si le nom de Flore Dupin lui était familier, elle s'attendait à être désignée.

Vint leur tour et, bien qu'elle s'y soit préparée, elle se décomposa devant la demi-douzaine d'hommes armés qui leur barrait le passage.

— Halte-là ! Vos noms, prénoms et qualités, demanda un barbu à l'allure peu amène.

Armand s'immobilisa devant lui.

— Hugues Dieumerci. Quant à ma qualité… la voici, dit-il en repoussant vers l'arrière le capuchon qui lui mangeait le visage.

Un mouvement de recul emporta la compagnie.

Leur répulsion ne dura que le temps de la surprise. Un menton se tendit en direction de Flore, qui transpirait à grosses gouttes.

— Et toi la gueuse ?

Flore ouvrit la bouche mais la peur étranglait tant sa glotte qu'aucun mot n'en sortit.

— C'est ma fille, Madeleine. Elle est muette. Et malade, comme moi, la sauva Armand devant le froncement de sourcils du garde.

— Fais-y voir un peu ! réclama un autre, plus âgé, en lui frôlant le capuchon de la pointe de sa lance.

Flore le fit glisser en arrière. Elle tendit sa joue, le regard fuyant, certaine que cette fois personne ne serait dupe, que leur périple allait s'achever là, à moins qu'elle ne chasse cette lance de son bâton, qu'Armand ne tire son épée. Et que personne derrière n'intervienne, ce dont elle doutait. Tous étaient rassasiés de cette chasse à la sorcière. Ils ne voulaient plus qu'en finir.

Armand fit un pas en avant, l'œil suppliant, la main tendue.

— Nous nous rendons à la maladrerie Saint-Lazare. Auriez-vous un peu d'eau à nous donner ? Il fait grand chaud sous ces mantilles et il y a fort longtemps que nos gourdes sont vides.

— Pour que la mienne soit perdue ? Et moi tout avec ? Hâtez-vous de passer, avant que je ne vous houspille ! entendit Flore qui retenait son souffle, la main crispée sur son bâton.

La garnison s'écarta comme un seul homme.

— Allons viens, nous ne sommes plus bien loin, tu pourras boire et te reposer, soupira Armand en rabattant le capuchon de Flore sur son front.

Il l'entraîna, un bras affectueusement passé autour de ses épaules qui tremblaient.

Elle attendit qu'ils se soient suffisamment éloignés pour oser un regard discret derrière elle.

Les soldats venaient d'arrêter un autre marchand, accompagné de deux filles. Ils étaient saufs.

Armand desserra son étreinte.

— Détends-toi. Le nombre de patrouilles va s'intensifier d'ici à Paris. Il faut t'y habituer.

— Je le sais. Mais nos masques s'effritent.

— Pas encore assez pour que quiconque se risque à nous approcher de trop près. Aie foi en moi. Sitôt que nous aurons récupéré des deniers, nous changerons d'allure et louerons des chevaux. À partir de là, il ne nous faudra que trois jours pour gagner la côte et embarquer.

— Tant mieux. Je n'en peux plus de ces hardes, de cette crasse, de ce visage, soupira-t-elle.

Armand la ramena face à lui.

— Même ainsi, crois-moi, tu restes la plus jolie des femmes que j'aie pu rencontrer.

Leurs regards se fondirent.

Flore sentit son cœur s'embraser dans sa poitrine.

Cette lueur dans ses yeux…

Ses lèvres se mirent à trembler.

Il retint, comme trop de fois ces derniers jours, son envie de les prendre.

Au moins avait-il une solide raison cette fois.

Un père et sa fille. Malades.

Voici ce qu'il venait de vendre aux soldats. Mieux valait ne pas les détromper.

41.

Paris.

— N'êtes-vous pas las, comte de Dampierre ? lui assena ce tourmenteur dont Louis ne voyait toujours pas le visage.

— « Las » n'est pas le mot que j'emploierais, le défia-t-il avec ce courage qui avait toujours fait la fierté de son épouse et provoqué le respect chez ses adversaires.

Il sentit sa rotule se disloquer, étouffa un nouveau hurlement entre ses dents.

Il secoua la tête. Par moments, la cagoule lui collait aux narines. Il en aurait été étouffé si elle n'avait été si lâche. L'air parvenait à s'y engouffrer assez pour qu'il survive longtemps à la torture. Elle l'empêchait seulement de voir le prochain coup arriver et de s'y préparer. Un moyen de l'épuiser autant nerveusement que physiquement.

— Vous pourrez me briser les os un à un que je ne répondrai pas autre chose que la vérité. Je ne sais rien de cette malédiction.

— Mais vous ne niez pas que le roi Philippe le Bel et ses deux fils ont été emportés tôt.

— Personne ne le nie. Mais que j'en sache, rien n'indique qu'ils ne soient pas morts naturellement.

Il avait fermé les yeux pour les préserver de la sueur qui dévalait de son front comme une rivière en crue. Il connaissait ces procédés et il était désormais certain qu'il était torturé par ordre de l'Inquisition. Il savait que cette boucle de questions-réponses ne finirait jamais, à moins qu'il n'opine à tout et à son contraire, puis signe des aveux de culpabilité fantômes.

— Que savez-vous de cette malédiction lancée contre les Capétiens ? recommença le tortionnaire d'une même voix égale.

Cette fois, Louis refusa d'entrer dans ce jeu. Il haussa le ton, préférant user ses dernières forces que de leur montrer la moindre faiblesse.

— Tuez-moi. Je ne répondrai plus avant de savoir ce que je fais là, pourquoi on s'acharne sur moi. Pourquoi mes fermiers ont été assassinés, leur fille traquée, mon meunier arrêté. Et ne me dites pas que cela n'a aucun rapport.

— Je ne le dirai pas. Au contraire. Tout est lié. Et vous êtes ce lien. Alors une dernière fois, que savez-vous de cette malédiction, comte ?

Louis sentit un vent mauvais lui battre les tempes. Le chien rôdait, menace pernicieuse qui s'ajoutait au cliquetis des tenailles.

— Nous n'en sortirons pas, bourreau. Alors il suffit. Ôtez-moi ce masque et appelez votre maître. Quel qu'il soit, cette arrestation est arbitraire et dénuée de sens. C'est au roi qu'il devra rendre des comptes.

Un rire narquois.

— Le roi ? Vous le croyez pressé de libérer votre petite personne ?

— Je suis, comme ma famille, de ses proches !

— Plus aujourd'hui, comte. C'est lui qui a demandé votre arrestation.

Le cœur de Louis manqua s'arrêter dans sa poitrine. Il lui fallut quelques secondes avant de penser que cet argument n'était qu'un nouveau stratagème pour l'affaiblir.

Il reprit de sa superbe.

— En ce cas qu'il vienne. Qu'il vienne et me le dise en face.

Un soupir tomba à quelques pas de son oreille.

— Je vous le dis, Louis. À mon corps défendant, lâcha Charles IV qui, depuis le début de cet interrogatoire, s'était efforcé de rester le plus discret possible, malgré sa colère grandissante envers son prisonnier récalcitrant.

— Vous, sire ? se liquéfia Louis, incrédule.

Charles se pencha devant lui. D'un geste, il eût pu lui arracher cette cagoule, mais il ne voulait pas voir son visage, pas risquer de se laisser attendrir par le fait qu'il fût le père de Jeanne. Là, il pouvait encore se persuader que, sous ce linge, c'était un autre qui hurlait, se tordait. Un autre auquel il n'aurait pas à rendre de comptes.

— Où est votre fille ? Où est Jeanne ? demanda-t-il, oppressé chaque heure davantage par sa disparition.

Louis de Dampierre s'ahurit plus encore.

— Au béguinage. Enfin, je le crois. Si vous l'ignorez, sire, comment le saurais-je, moi, depuis Rethel ? Je jure ne rien comprendre ni à vos intentions ni à cette histoire. Que me reprochez-vous ? Que lui reprochez-vous, grand Dieu ?

Un élan de colère emporta Charles.

— Vous l'ignorez ? On m'a rapporté qu'elle avait été vue chez vous, à Rethel, juste avant qu'on ne vous emporte !

— Ma fille, à Rethel ? Mon épouse ne m'en a rien dit. Mon épouse..., se liquéfia de nouveau Louis. Que lui avez-vous fait ?

— Me prenez-vous pour un monstre, monsieur ?

Louis s'obligea à baisser la voix, à se reprendre.

— Non, sire. Je crois que vous aimez ma fille et que par conséquent vous ne ferez aucun mal à sa mère. Alors de grâce, détachez-moi et parlons, d'homme à homme.

— Je ne peux pas ! fulmina Charles en écrasant son poing sur la table où étaient disposés les instruments de torture.

Il fonça de nouveau sur Louis, le souleva par le collet, postillonna sur le tissu.

— Jeanne a usé de magie noire contre moi. Elle a poignardé un de mes gardes avant de disparaître. Alors ne me dites pas que vous ne savez rien !

Louis de Dampierre tomba des nues.

— Jeanne ? Ma Jeanne ? Accusée de sorcellerie ? de crime ? Non... Non, cela n'a pas de sens... Des preuves. Je veux des preuves !

— J'en ai ! Plus qu'il ne m'en faut ! Pensez-vous sinon que je vous tiendrais là ? À ma merci ?

Louis de Dampierre dodelina de la tête.

— Je ne comprends pas. Non. Vraiment je ne comprends pas. Ma fille, une criminelle ? C'est insensé, affirma-t-il, perdu.

Un long et douloureux gémissement s'exhala de sa poitrine. Espérant mettre fin à cet interrogatoire qu'il n'avait pu éviter, Guillaume de La Broce prit le roi à part, chuchota :

— Avec votre permission, je vais le reconduire.

Charles souffrait mille morts. Depuis qu'il avait découvert ces preuves qui accablaient Jeanne, depuis qu'il avait appris qu'elle n'avait pu être enlevée par la Dupin, cette dernière se trouvant toujours à Rethel au moment où on lui avait délivré la plume, il ne vivait plus. Au point qu'il avait suspendu les affaires du royaume, au point qu'il s'était réfugié ici, à Maubuisson, en attendant que La Broce lui ramène Louis de Dampierre. Il avait espéré que le comte l'aiderait à comprendre ce qui avait motivé sa fille à devenir complice de cette malédiction. Ou qu'il lui fournirait la preuve du contraire, le confortant dans l'idée d'un complot, bien que d'heure en heure celui-ci semblât perdre sens. Et voici que le comte se retrouvait aussi démuni que lui. Voici qu'il n'en tirerait rien ? Il sentit sa raison basculer.

Il bondit.

Le temps que Guillaume de La Broce comprenne que le roi ne se maîtrisait plus et lui bloque le poignet, le mal était fait. Charles IV avait enfoncé son poignard dans la gorge de leur prisonnier. Guillaume de La Broce arracha la cagoule, mais il était trop tard pour Louis de Dampierre. Son œil était déjà vide, son visage exsangue, traversé de larmes, tandis qu'un sang vermeil, épais, giclait sur son épaule, son poitrail, et jusqu'au parquet.

— Il est mort, sire, annonça tristement le légiste, en lui refermant les paupières.

Charles ne le supporta pas. Saisi de tremblements, horrifié par sa poussée de violence, il lâcha son arme. Il grimpa l'escalier, glissa, se rattrapa à la rambarde. Des pensées confuses occupaient son esprit. Bousculer le père de Jeanne, le forcer à lui révéler où elle se cachait. S'il en était coupable, jamais il n'avait eu l'intention de le tuer.

Il parvint enfin à quitter la pièce, décidé à fuir Maubuisson, à mettre le plus de distance possible entre lui et son geste, comme si cela pouvait l'effacer.

Écœuré, Guillaume de La Broce l'entendit hurler le branle-bas dans la demeure.

Lors, il s'appliqua à rendre de la décence à cet homme dont la tête était lourdement retombée sur la poitrine. Il lui incombait désormais de lui donner un tombeau, puis d'affronter le poids de sa conscience.

L'escorte royale était déjà prête lorsque, en sueur, la démarche désordonnée, Charles IV atteignit les écuries. Il repoussa l'aide du palefrenier, enfourcha sa monture puis enquilla au grand galop la route de Paris.

Au bout d'une demi-heure de chevauchée, il n'était toujours pas parvenu à se reprendre.

Il mit pied à terre.

Abandonnant son cheval à son escorte, il s'en fut s'agenouiller sur la berge caillouteuse d'un ruisseau. Il y nettoya ses mains puis y plongea son visage. Son instinct de survie le condamna finalement à se redresser, à respirer. La lumière dansait dans les arbres, caressait la pierre, l'herbe, sa manche sur laquelle des perles de sang avaient giclé. Il les frotta jusqu'à ce qu'il n'en reste rien, jusqu'à ce qu'il se sente propre.

Lorsqu'il remonta en selle, il était de nouveau lui-même.

Il ne pouvait donner ni nom ni sens à son crime odieux, mais il était certain d'une chose : Jeanne ne pourrait pas le lui pardonner.

42.

Abords de Sens.

Jeanne de Dampierre attacha son cheval à l'ombre de la petite église qui faisait partie du domaine de l'abbaye. Elle avait été bâtie sur le tombeau initial de Colombe, près de la fontaine d'Azon où avait eu lieu son martyre.

Elle longea le cimetière, aperçut, par-delà la grille, le dos courbé d'un abbé. Elle poussa le portillon et marcha jusqu'à la tombe qu'il nettoyait d'une poignée vigoureuse.

— Bonjour, mon père, le salua-t-elle.

Il se redressa, tendit son visage rond sous la tonsure.

— Bonjour, mon enfant. Que puis-je pour vous ? Non, non, ne dites rien. Vous voulez un cierge pour descendre à la crypte.

Un rire joyeux répondit au trouble qui s'inscrivit sur les traits de Jeanne.

— Je ne suis pas devin, Dieu m'en préserve. Je vois tous les jours s'arrêter ici des pèlerins, espérant un miracle. Et à en juger par votre petite mine, il ne m'est pas difficile de comprendre que votre quête, quelle qu'elle soit, commence ici. Venez, l'entraîna-t-il avant qu'elle n'ait pu émettre le moindre commentaire.

Il poussa la porte de la sacristie, la lui fit traverser d'un pas vif, puis la conduisit devant un escalier qui s'enfonçait dans le sol.

— Les cierges sont à votre gauche. Prenez le temps qu'il vous faudra. Si vous souhaitez me parler, vous savez où me trouver. Si vous souhaitez vous abreuver à la source, Dieu vous indiquera le chemin, lui dit-il, bonhomme, en lui tapotant l'épaule.

Il la laissa là, désorientée soudain par cet éclat rieur dans son regard.

Elle déposa un sol dans le tronc, enflamma un cierge à un autre, à demi consumé, et entreprit de descendre les marches creusées par le passage des siècles. Elle parvint à une petite grotte voûtée, vide, si l'on exceptait le râtelier de fer sur lequel elle piqua son candélabre.

Bien que la flamme dansât sur les murs, il lui fallut du temps pour que ses yeux, éblouis par la pleine lumière de l'été, parviennent à s'en contenter. Elle finit par deviner des incisions dans la roche. Las, comprit-elle, le temps avait fait son œuvre.

Il me faut plus de lumière.

Elle récupéra le cierge et les éclaira tour à tour.

Un poisson, un chrisme[1]*, une colombe, une rose, la croix des Templiers enfermée dans un cercle, un paon. Qu'est-ce que cela veut dire ?*

1. Personnage qui a les bras ouverts.

Une voix tomba derrière elle :

— Ces symboles appartiennent aux tout premiers temps de la chrétienté.

Saisie, Jeanne pivota. Le contre-jour ne lui permit pas de voir le visage de celui qui venait de la renseigner, mais il portait une coule, dont les manches, rapprochées, lui avalaient les mains. Bien que l'abbé n'ait pas fait mention d'un assistant, il y avait tout lieu de penser qu'il n'officiait pas seul ici. Instinctivement pourtant Jeanne fut sur ses gardes.

— Je l'avais compris, dit-elle, espérant inciter le religieux à remonter.

Mais il s'approcha d'un pas lent jusqu'à entrer dans le halo de son cierge. Jeanne frissonna plus encore. Une lueur dans le regard de cet homme l'incita à la méfiance.

— Je suis frère Anselme, se présenta-t-il sobrement. Je viens souvent me recueillir ici.

Jeanne l'aurait bien pressé de revenir plus tard, quand elle aurait terminé d'en faire autant, seule, mais il pointait déjà un index recourbé sur le mur.

— Le poisson représente le Christ. Le chrisme, lui, de même que le paon, est associé à l'immortalité de l'âme. La différence entre les deux, c'est que l'un appelle l'âme dans la paix de Dieu, l'autre dans la résurrection.

Jeanne renonça à le renvoyer. D'une part parce qu'il meublait ses lacunes, d'autre part parce qu'il avait cessé de la regarder, lui interdisant de fait de le couper.

— Il arrive fréquemment que l'on associe une colombe au chrisme, parce qu'elle est une référence à l'Esprit-Saint, mais dans notre cas, je dirai que c'est une évocation directe de la jeune fille qui fut portée ici.

Quant à la rose, c'est l'image du martyre. C'est comme si l'on avait raconté l'histoire de sainte Colombe.

— En effet, approuva Jeanne qui ne parvenait pas à se guérir de son malaise.

Le moine transpirait la fourberie jusqu'en cette grosse verrue qui lui mangeait le sourcil. Elle en fut suffisamment perturbée pour décider de sortir et de revenir ensuite, lorsqu'il se serait éloigné.

— Il me reste une longue route à parcourir, mon père. Je vous salue, dit-elle comme il ouvrait déjà la bouche pour commenter un nouveau symbole.

Il répondit par un hochement du menton, la fixa longuement tandis qu'elle abandonnait son cierge, glacée par son insistance.

Elle s'empressa de traverser l'église, inquiète qu'il la suive, sortit sur le parvis, devina un sentier qui s'enfonçait dans le bois et s'y engouffra avec son cheval.

Sitôt dissimulée par le couvert, elle retrouva son calme. Des trilles d'oiseaux se répondaient de branche en branche et, sous ses semelles, une mousse épaisse trahissait le parcours souterrain de l'eau vive.

Elle soupira.

Ce frère Anselme a raison. En plus de la tradition orale, les moines se sont sans doute servis de ces premiers signes pour comprendre qui était Colombe puis mettre son histoire en images dans la crypte de l'abbaye. Me voici rendue au même point que tantôt.

Le délicat bruissement de l'onde l'avait attirée, sans qu'elle s'en aperçoive, près de la fontaine. Un écrin de lumière au milieu du champ d'hier, désormais clairière. Au-dessus de la source se tenait une petite chapelle votive recouverte par la végétation. Des fleurs pointaient entre ses interstices, le toit accueillait quelques girolles. Loin de sembler abandonnée, la petite construction s'était fondue au décor naturel, offrant un sentiment de paix à ce lieu.

Prier, lui avait demandé sa mère.

Que pouvait-elle faire de mieux ?

Jeanne lâcha le licol de sa jument pour s'installer sur une pierre plate qui surplombait le réservoir naturel. Le fond, translucide, était tapissé de pièces au milieu des pierres.

Seigneur, murmura-t-elle, *vous qui en ce lieu offrîtes un miracle à la France, vous qui de l'union d'un cerf et d'un buisson ardent reproduisîtes le Baphômet qui ornait le cou de Colombe, aidez-moi à retrouver son tombeau. Aidez-moi à sauver ses dernières gardiennes, à les ramener à leur mission. À éloigner d'elle le feu de l'Inquisition, le courroux du roi Charles IV...*

Dix minutes plus tard, elle ânonnait encore, emplie de ferveur, espérant que la main de Dieu ou celle de Colombe se poserait sur son épaule. Mais rien ne vint. Lors, elle ouvrit les yeux, recueillit un peu d'eau dans le creux de sa main et s'abreuva longuement.

Il ne me reste plus qu'à espérer que Guillaume de La Broce ait découvert récemment quelque chose dans les archives du Temple. Je sais qu'il est imprudent que je revienne à Paris, mais je n'ai pas le choix. Il me faut un indice. Quel qu'il soit.

C'est à cet instant qu'elle se souvint de ce qu'elle avait ramassé dans l'abbaye. Elle fourra la main dans la poche latérale de sa cotte et en ressortit un éclat de corne de la taille d'une pièce. À la faveur du jour, il lui sembla familier mais elle ne réussit pas à l'associer à sa mère. Qui d'autre pourtant aurait pu entrer dans cette pièce ? Il fallait déjà en connaître l'accès, en posséder la clef.

Un jeu de courbes formait un symbole dans un cercle. Elle dut les faire jouer longtemps sous un rai de soleil avant de parvenir à y deviner deux lettres, un G et un R. Sa mémoire finit par accrocher le souvenir d'un bâton de marche dans la main d'une silhouette étriquée, vindicative.

Elle se crispa.

Robert Gui !

Si cet objet se trouvait dans la crypte, c'était que l'inquisiteur l'y avait précédée.

Peu importe quand. Son intrusion prouve qu'il a découvert le lien entre Flore, les Rethel, la sainte ampoule et sainte Colombe ! Comment ?

Son sang se mit à pulser douloureusement dans ses veines. Parti de Rethel l'avant-veille, l'inquisiteur avait déjà dû atteindre Paris avec le fils des meuniers et informer Charles de ses conclusions. Combien de temps faudrait-il encore avant que sa mère ne soit arrêtée au même titre qu'elle ou que Flore ?

Un élan de panique l'emporta.

Elle savait. Elle savait que c'était déjà trop tard, comprit-elle en revoyant le calme qu'avait affiché sa mère. *Elle m'a éloignée sciemment pour que je ne sois pas arrêtée avec elle.*

Son cœur se brisa.

Qu'espériez-vous, mère ? Les convaincre que vous aviez agi seule contre les Capétiens ? Comme je l'ai cru moi-même ? Sotte ! Sotte que j'ai été ! Et père qui ignore tout !

Elle se précipita vers son cheval, sauta en selle et remonta le sentier au galop.

Je ne vous le permettrai pas, mère. Avec ou sans envoûtement, Charles reste Charles et il m'aime. Il me croira si je l'assure que Gui veut ma perte, qu'il se sert de vous et de Flore pour y parvenir. Oui. Il me croira !

Elle dépassa la petite chapelle, aperçut frère Anselme qui en sortait. Chassant à nouveau une sensation de malaise, elle ne songea plus qu'à atteindre Paris avant que tout ne soit joué.

43.

Paris.

Palais de la Cité.

Introduit par un valet, Guillaume de La Broce pénétra d'un pas pesant dans la pièce où Charles IV l'attendait.

— Est-ce fait ? lui demanda ce dernier d'une voix anormalement aiguë, laissant transparaître son angoisse.

Guillaume de La Broce ne s'y attarda pas. Avoir fait enterrer le comte de Rethel dans le cimetière de l'abbaye de Maubuisson, sous une pierre tombale anonyme, le heurtait suffisamment pour qu'il ne s'embarrasse pas des états d'âme du roi.

Il se contenta de hocher la tête devant ce visage blême. Contrairement à ses frères qui n'avaient pas été à la hauteur de leur règne trop court, Charles IV aurait pu devenir un monarque brillant. Las, il portait le poids des erreurs de son père, Philippe le Bel. Il espérait toujours mettre la main sur l'or du Temple pour rembourser les dettes du royaume. Guillaume de La Broce était l'un des mieux placés pour savoir que son souverain était furieux contre les Lombards, dont les taux d'usure ne cessaient de grimper. Après ce qu'il avait vu ce soir, il ne doutait plus que l'avertissement royal dont ils faisaient l'objet se changerait en une répression violente. Et c'était loin de lui plaire. Désormais il espérait que Charles IV mourrait avant de la lancer, étranglé par l'envoûtement de Jeanne. Il était le seul que le roi avait mis dans la confidence et regrettait de ne pas s'être dévoilé à elle avant. De l'avoir laissée se mettre en danger, d'avoir provoqué le pire. L'envie d'en finir là, d'un coup de poignard, lui chatouilla les doigts.

Rendre justice. Une dernière fois.

Il résista à la tentation. On se jetterait sur lui et cela n'arrêterait pas Gui. Au contraire. En l'état, Charles IV était le seul qui pût sauver Jeanne.

Il croisa les mains sur sa poitrine, dans l'attente d'un ordre, certainement bien éloigné une nouvelle fois de sa fonction de légiste.

Mais Charles IV ne bougeait pas. Son regard errait, incapable de se poser sur les tentures, les tapisseries d'Aubusson, les meubles de bois précieux, le tapis d'Orient que foulaient ses souliers rebrodés de soie. Il avait pris soin de renvoyer les domestiques. L'idée que l'un d'eux, soudoyé par quelque membre de son Conseil, puisse l'entendre évoquer son crime lui était aussi insupportable que celle de l'avoir commis.

Retrouver Jeanne, ne cessait de marteler son cœur écartelé.

Il finit par soupirer.

— Vous ne m'avez ramené que Louis de Dampierre, pas la comtesse de Rethel. Peut-être sait-elle où est sa fille. Je vous laisserai l'interroger, ajouta-t-il.

Oh non, tu ne le feras pas, fulmina intérieurement Guillaume.

— Il est trop tard, sire.

Charles IV sentit ses jambes se dérober sous lui. Il dut s'appuyer d'une main sur le dossier de la cathèdre qui se trouvait à portée.

— Qu'est-ce à dire ?

— La comtesse souffrait de crises de démence.

Comme moi, pensa Charles, au point de devoir tirer sur son col tandis que Guillaume de La Broce, l'œil fuyant, continuait :

— Sans doute n'a-t-elle pas supporté de voir ses gens à terre, son époux emmené. Elle s'est empalée d'elle-même sur le poignard qui la menaçait. Elle n'y a pas survécu. Comme vous me l'aviez demandé, j'ai fait le nécessaire pour que nul ne puisse le deviner.

Charles resta sonné quelques secondes, happé par l'image de ce château ensanglanté.

Responsable. Je suis seul responsable de cette boucherie.

Il avait exigé qu'aucun témoin ne subsiste de l'enlèvement du comte et de son épouse. Que la ville de Rethel et jusqu'à son prévôt soient persuadés d'une attaque brutale et soudaine de brigands. Accablé, dépassé par les événements, il écrasa le bois sculpté du dossier, à en imprimer la figure tourmentée dans sa paume.

Je les ai tués, tous les deux, saigna son cœur en se souvenant à quel point Jeanne était proche de ses parents.

Elle ne me le pardonnera pas. Non. Elle ne me le pardonnera pas.

Toujours cette dualité en lui : vouloir Jeanne innocente malgré l'évidence. Vouloir lui demander pardon, quand bien même ce serait inutile.

Tu me manques tellement. Je donnerais tout ce que je possède pour revenir en arrière, pour te voir paraître, te prendre dans mes bras.

Il planta son regard dans celui de Guillaume de La Broce, devina de la tristesse sous l'éclat de l'acier.

— Et vous ? Croyez-vous Mlle de Dampierre coupable ?

— Je n'ai pas à croire, mais à prouver ce que vous entendrez prouver. Pour le bien du royaume, lâcha le légiste d'un ton sans appel, mais qui, incidemment, le plaçait de son côté.

Charles l'interpréta ainsi. Il prit une profonde inspiration et murmura, comme si les murs abritaient des oreilles quand le seul passage secret de ce palais débouchait dans sa chambre :

— Alors retrouvez-la et ramenez-la-moi en grand secret, que je puisse la protéger. Elle et cette Flore Dupin qui semble, depuis Rethel, s'être volatilisée.

Guillaume s'inclina et quitta la pièce d'un pas plus vif. C'était ce qu'il espérait.

44.

Paris. Île de la Cité.
Abords du palais royal.

Guillaume de La Broce s'évertuait à avancer le front haut mais il savait depuis des années ce que risquait de lui coûter ce double jeu. Il l'avait accepté en mémoire de son cousin, Bernard de La Broce, arrêté le même jour que Jacques de Molay au Temple et l'un des premiers à avoir été menés au bûcher. Il l'avait accepté en recevant du grand maître l'honneur de veiller sur la comtesse, comme Armand devait veiller sur Flore et leur oncle Adémar sur l'or romain. Mais il avait toujours pensé que cela lui coûterait la vie, non son âme.

Devant lui, à droite de la galerie des prisonniers qu'il venait de traverser, s'ouvrait celle des merciers[1], long vestibule qu'avait fait construire Philippe le Bel lorsqu'il

1. Philippe le Bel leur avait concédé le privilège d'y tenir boutique contre une redevance annuelle.

avait entrepris de remanier le vieux palais. Telles ces tours blanches massives qui se reflétaient désormais dans la Seine, cet espace à deux nefs rappelait de quelle manière le roi de fer avait mené son royaume. Avec éclat et sans tempérance.

Guillaume de La Broce se glissa au milieu des éventaires qui ruisselaient de soieries, de camelins, de passementeries, de dentelles, de broderies, auxquelles, au bout de perches enroulées de rubans, s'ajoutaient des petits bijoux de parure, des ceintures ornées de cabochons de pierres fines, des fermaux ou des coiffes. Les volubiles accents italiens se mélangeaient à ceux, plus rugueux, des Flandres et à cette gouaille à nulle autre pareille des Parisiens. Guillaume de La Broce s'était toujours plu dans cette multitude joyeuse et bonimenteuse. Aujourd'hui pourtant, il la vit à peine. Il descendit l'escalier monumental et déboula dans la cour inondée de clarté. Il s'apprêtait à franchir la grande porte encadrée par ses deux échauguettes lorsqu'il eut soudain le sentiment d'être suivi. En face de lui s'ouvrait la rue Viez-Draperie. Ses maisons hautes, serrées, à colombage et encorbellements qui limitaient l'ensoleillement, fournissaient des recoins suffisamment obscurs pour qu'il vérifie son soupçon.

Il hâta le pas, se faufila parmi les étals des drapiers qui, cherchant à profiter du moindre filet de lumière, encombraient le mitan de la ruelle avec des tables sur tréteaux. Il déclina leurs offres, détourna les yeux des toiles qu'on lui présentait à pleines mains, cherchant le meilleur endroit pour son embuscade. Il le trouva juste avant l'église Saint-Pierre-des-Arcis.

Accolé à la pierre, le profil tendu vers la rue, il ne tarda pas à voir surgir Robert Gui, ombre parmi les ombres, corbeau noir au milieu de cette blancheur que les marchands palpaient, soulevaient, autour de lui.

Guillaume le laissa le dépasser de quelques pas, puis sortit de sa cache.

— Vous me cherchiez ? demanda-t-il, la main sur la ceinture, là où dormait sa lame.

Robert Gui pivota d'un bloc. Comme à son habitude, s'il avait été surpris, il n'en afficha rien. Au contraire, un sourire narquois étira sa face de rat.

— Je vous espérai, dit-il en ouvrant sa main en direction de l'église.

— Après vous, l'y invita Guillaume de La Broce, qui n'aimait guère voir ce charognard menacer ses arrières.

Robert Gui enfila ses mains dans les manches larges de sa robe, puis gravit les marches du parvis surmonté d'une modeste rosace. Une fraîcheur bienfaisante les enveloppa.

Guillaume de La Broce succéda à l'inquisiteur devant le bénitier, se signa, puis le rejoignit sur l'un des bancs de la travée unique, près d'un pilastre. Au-dessus d'eux, une voûte en berceau offrait un ciel d'étoiles dorées au crépuscule des cierges voisins. L'atmosphère était au recueillement, pas à la polémique. Guillaume de La Broce le regretta.

À présent qu'il savait qui était réellement Robert Gui, à présent qu'il avait découvert quels étaient ses intérêts personnels à retrouver Flore et sainte Colombe, il eût volontiers saisi ce diable au collet pour le piquer à la gorge. Au lieu de quoi il tourna la tête vers ce profil anguleux, ces mains jointes sur le dossier du banc devant lui, jusqu'à ce que l'inquisiteur consente enfin à lâcher des yeux le crucifix qui dominait le chœur, à une vingtaine de pas.

— Il me semble que c'est aux portes d'un lieu semblable que nous nous sommes quittés il y a quinze ans, lança enfin l'inquisiteur.

— Pensez-vous que l'odeur de l'encens ait pu me faire oublier la puanteur des bûchers ?

Un rictus moqueur.

— C'eût été dommage.

— Au fait, Gui. Que me voulez-vous ?

— Ce que veut le roi. La vérité. Or, je doute que vous la lui donniez.

— Je ne vous permets pas.

— Allons, pas à moi. Certes, votre demi-frère m'a filé entre les doigts tandis que Philippe le Bel, pour je ne sais quelle raison, m'interdisait de vous toucher. Mais j'ai vu se racornir la peau de votre cousin, j'ai entendu ses hurlements sous la pression des brodequins.

Guillaume de La Broce serra les poings.

— Qu'espérez-vous raviver ? Mon courroux ? grinça-t-il en le toisant avec ce mépris haineux qui pulsait dans ses veines.

— Vos souvenirs suffiront. Je n'ai pas consigné les aveux de votre cousin Bernard. Mais ils sont là, affirma-t-il en pointant un index sur sa tempe.

— Alors ils valent ce que vous valez vous-même. Rien à mes yeux.

Il se leva, fut aussitôt retenu à mi-élan par sa main osseuse.

— Votre oncle, Adémar de La Broce, était là, dans le donjon du Temple, juste avant que le prévôt de Paris n'y envoie ses hommes pour arrêter les Templiers. Votre cousin l'a vu. Comme il a vu les mules entrer légères et sortir chargées du clos à la faveur des falots, alors que la nuit noire empesait les âmes.

— Philippe le Bel a ouvert la salle des coffres. Il a fait main basse sur le trésor du Temple. Fin de l'histoire, se dégagea Guillaume de La Broce d'un mouvement ferme.

— Sur le trésor du Temple, oui. Mais pas sur celui d'Aurélien emporté Dieu sait où par votre oncle. Pas sur sainte Colombe, pas sur ce qui fut caché dans son sarcophage au moment de sa décapitation. « L'origine du miracle. » Le plus précieux des secrets. Alors dites-moi, messire de La Broce, quelle prescience a pu pousser le grand maître à faire déplacer ces coffres emplis d'or romain, cette précieuse relique et tout ce qui s'y rapporte quelques heures seulement avant son arrestation ? Et comment votre famille a-t-elle pu tirer profit d'une information si confidentielle ?

— Vous l'avez dit. Si le roi de fer avait eu à me poignarder, nourri par quelque doute à mon égard, il l'aurait fait lui-même, au lieu de me recommander à ses fils.

— Charles IV ne sera pas dupe. Il entend bien découvrir à quel point la famille de Rethel et l'ordre du Temple étaient liés. Ne serait-ce que pour protéger sa chère Jeanne. Il comprendra alors qu'il leur fallait quelqu'un de bien renseigné. Quelqu'un comme vous.

Guillaume de La Broce haussa les épaules.

— Instruisez-le, dans ce cas ! Mais veillez à vous nourrir de preuves solides car j'ai, depuis bien plus longtemps que vous, prouvé ma loyauté à l'égard de la couronne, y compris à l'époque du procès contre les Templiers. Quant à ce lien entre le Temple, la famille de Rethel, sainte Colombe et je ne sais quel miracle ou trésor, je ne doute pas qu'il soit le fruit d'une imagination fertile, celle que seul votre esprit malveillant est capable de concevoir et de manipuler.

Son assurance ne fissura en rien celle de Gui.

— Ne vous croyez pas à l'abri du bûcher. Je vous y ferai monter aux côtés de votre frère, de votre oncle, de Jeanne de Dampierre et de Flore Dupin. Et croyez-moi, le roi sera aux premières loges.

— Alors je vous souhaite bonne chasse ! Je vous conseille néanmoins de fourbir vos armes en terrain découvert. Sans quoi je sortirai les miennes, sans merci ni quartier.

Guillaume de La Broce vit avec satisfaction une nuance plus sombre troubler le regard incisif du dominicain. Il ne mentait pas. Les archives du Temple lui en avaient appris assez pour mesurer le danger que Gui représentait.

Il lui tourna le dos et repassa d'un pas vif le portail de l'église. Décidé à ne pas l'entraîner à nouveau derrière lui, il dévala les marches et partit à la course. S'il n'avait pu empêcher la mort de Louis de Dampierre, au moins pouvait-il encore sauver Armand, Flore et Jeanne.

Et il savait qui l'y aiderait.

45.

Paris.

Palais de la Cité.

Charles IV repoussa un fou sur son plateau d'échecs.

La fenêtre ouverte à quelques pas de lui semblait défier le crépuscule qui peu à peu embrasait la cité, tel un bûcher gigantesque au creux duquel il se consumait douloureusement. Devant lui, à l'autre bout de la table, il avait déposé la plume.

Jouait-il contre la mort ? Il était incapable de répondre à cette question qui le tourmentait. Il ne pouvait supporter la moindre présence, manger ou dormir. Il n'aspirait qu'à tout oublier, fût-ce quelques heures, jusqu'au corps chaud et perdu de Jeanne. Le temps d'y voir clair, de chasser le visage disgracieux de Robert Gui venu, moins d'une heure après le départ de Guillaume de La Broce, mander l'exclusivité de la traque et de l'interrogatoire de Jeanne. Il avait refusé de la lui accorder, s'attirant une nouvelle fois son incompréhension et ses foudres. Il avait également refusé de lui céder le jeune Gabriel afin qu'il le torture encore et encore. L'idée du sang répandu dans la tour voisine lui avait retourné l'estomac.

Sitôt le départ de l'inquisiteur, prédisant un grand malheur pour le royaume si Flore Dupin et Jeanne de Dampierre n'étaient pas arrêtées bientôt, il avait passé de longues minutes à régurgiter au-dessus d'une bassine. Il s'était redressé le teint cireux et n'avait recouvré quelques couleurs qu'à force de savonner son visage et ses mains avec ce pain de lavande que Jeanne lui avait offert. Comme si cette propreté pouvait gagner jusqu'à son âme et, avec elle, entraîner le pardon.

Mais le feu du ciel était là, coulant son oblique sur son roi de marbre blanc, l'ensanglantant de son courroux vengeur alors que la plume dégageait, impassible, son odeur entêtante de chair brûlée. Et il avait le sentiment, de minute en minute plus oppressant, qu'il ne tarderait pas, à son tour, à s'embraser de l'intérieur.

Il n'écoutait plus que les battements de son cœur fou, lorsqu'un déclic retint son attention.

Le passage secret, comprit-il, aussitôt en alerte.

Avant de parvenir jusqu'à lui, l'intrus devrait franchir une seconde porte qui débouchait dans un placard, face à son lit.

Il se leva sans bruit, sortit ce poignard que lui avait rendu Guillaume de La Broce et attendit.

Il vit s'écarter le panneau, manqua défaillir. Sa main crispée sur le manche se mit à trembler.

— Jeanne.

Sale, échevelée, les traits creusés, les yeux mangés par les cernes. Différente. Mais elle était là et tout en lui sembla vouloir renaître.

— Je ne suis pas armée, murmura Jeanne en baissant les yeux sur cette lame dont il ne savait soudain plus que faire.

Charles ouvrit ses doigts. Un bruit de métal cascada sur le parquet ciré. Ils s'affrontèrent du regard, douloureusement, n'osant pas plus l'un que l'autre franchir cette distance que les événements leur avaient imposée.

Jeanne s'y était préparée, mais elle lisait soudain tant de souffrance sur ce visage ravagé qu'elle ne trouvait plus ses mots. Elle suivit le mouvement de l'index de Charles vers le plateau de jeu.

La plume.

Elle fit mine de s'affoler.

— Est-ce ce que je crois ?

— Oui. Elle m'a été livrée après notre dernière rencontre, la nuit où un garde a été tué sous ma fenêtre à Maubuisson. Ce ne fut pas la seule chose que l'on trouva, bredouilla-t-il.

Jeanne baissa les yeux.

— Mon aumônière. Celle que vous m'avez offerte et que j'aime tant. Oui, je le sais.

Charles était devenu blême. Il tanguait sur ses pieds nus, la chemise battant ses hanches comme une voile offerte au grand vent, prête à être déchirée par la tempête qui s'annonçait.

Il ne sait plus que penser, comprit Jeanne.

Elle fit un pas. Il ne bougea pas, navire instable et pourtant ancré à ces lèvres qui tremblaient autant que les siennes.

Mentir. Sauver les miens. Je suis venue pour ça. Pas pour le sauver lui. Et pourtant…

Deux larmes piquèrent ses yeux. Elle cueillit la joue dans le creux de sa paume.

— Je n'y suis pour rien, Charles. À mon réveil ce matin-là, ma porte était ouverte, et Bertrade avait disparu, tout comme mon aumônière. Vous savez l'affection qu'elle me porte, celle dans laquelle je la tiens. Jamais elle ne m'aurait causé le moindre tort. Vous croyant toujours à Maubuisson, je m'y suis rendue, le cœur dans un étau. Vol ? Enlèvement ? Je n'ai vu que vous pour m'aider à répondre à cette question. Vous étiez déjà parti. J'ai galopé jusqu'au palais de la Cité. Je venais de déposer mon cheval aux écuries lorsque j'ai entendu deux hommes parler, l'un annoncer à l'autre que cet objet, si précieux pour moi, avait été retrouvé sur les lieux d'un crime. J'aurais pu sortir, exiger qu'on me mène à vous, mais j'ai reconnu près d'eux Robert Gui, un sourire satisfait aux lèvres. J'ai pris peur, Charles. Pouvez-vous le comprendre ? Lorsque nous nous étions quittés, vous redoutiez une cabale contre moi, une cabale destinée à nous séparer à la veille de votre remariage… Et voici que vos craintes se confirmaient, sous les traits de ce redoutable inquisiteur.

— Et ces objets, encours du diable, retrouvés dans votre cheminée ? demanda-t-il, ébranlé.

Elle fit mine d'accuser le coup, puis soupira :

— Je n'ai jamais usé de magie noire. Tout a dû être placé là pour me perdre à vos yeux. Aurais-je besoin de vous jeter un sort pour me faire désirer ?

— Non. Je t'ai toujours aimée, affirma-t-il avant de l'attirer à lui.

Leurs lèvres se joignirent, ébauche de baisers avant de devenir soif d'absolution, pour l'un comme pour l'autre. Lorsqu'elles se détachèrent enfin, à la recherche d'un souffle qu'ils avaient perdu, Charles avait retrouvé confiance et espoir.

— Tout va redevenir comme avant.

Elle le repoussa délicatement.

— Vous savez bien que non. J'aurais dû vous parler de Flore, mais c'était la fille de notre métayer. Elle est née à Rethel et jamais ma mère n'a eu à se plaindre d'elle. Comment imaginer qu'elle ait pu être celle de la malédiction ? J'ai d'autant plus de mal à y croire à présent que j'ai surpris Gui à se réjouir du tort que l'on me causait.

Charles repensa à l'insistance de l'inquisiteur à vouloir seul arbitrer le destin des deux femmes.

Gui, son propre maître ? Quel intérêt en retirerait-il ? À moins qu'il ne servît celui de l'un de mes proches…

Son sang se glaça.

— Vous pensez qu'il aurait pu désigner cette fille uniquement pour vous abattre ?

— Vous savez à quel point il exècre les béguines. Alors nourrir l'idée que je sois la complice de Flore Dupin en répandant l'odeur du soufre chez moi, quel meilleur argument pour discréditer un peu plus notre ordre tout en vous libérant de mes rets ? Je reviens de Rethel où j'ai trouvé mes parents inquiets de possibles représailles après la fuite de Flore. Je crains que Gui ne se retourne contre eux alors qu'ils ont toujours été loyaux vis-à-vis de la couronne. Si vous ne pouvez plus rien pour moi, je vous en supplie, protégez-les.

Charles s'était décomposé. Elle le tenait à présent à bout de bras, ses ongles sales transperçant la soie de sa chemise. L'œil désespéré. Elle le considérait comme son sauveur. Alors que lui…

Tout aussitôt pourtant, il mesura sa chance.

Elle ne sait rien. Elle a dû s'arrêter dans une auberge, récupérer quelques forces, suffisamment pour que Guillaume de La Broce ait eu le temps de revenir de Rethel avant elle et moi… Moi…

Il refoula l'image de Louis de Dampierre, cagoulé dans ce cachot.

… Mentir.

Mais en plongeant dans ce regard qu'il avait tant aimé plier de plaisir, de rire, d'amour, il comprit qu'il en serait incapable. Sa conscience pesait trop lourd. Il l'attira de nouveau à lui, glissa une main derrière sa nuque pour la retenir au creux de son épaule, pour qu'il puisse murmurer à son oreille :

— Il est trop tard. Il y avait tant de preuves contre toi, ils étaient tellement convaincus, tous. Il fallait que je te retrouve…

Elle avait cessé de respirer, alertée par ce timbre de voix qui fuyait.

— J'ai envoyé Guillaume de La Broce capturer tes parents. Je ne sais pas ce qui m'a pris. J'étais comme autre, l'esprit altéré par le manque de toi.

Le cœur de Jeanne avait cessé de battre. Il la pressa plus encore contre le sien, devenu fou.

— J'ai tué ton père, Jeanne. Quant à ta mère, Guillaume de La Broce l'a vue s'empaler sur la lame de l'un des mercenaires. Je…

Il ne put en dire davantage. Le sanglot de Jeanne venait de l'ébranler tout entier et soudain il lui sembla qu'ils ne faisaient plus qu'un dans cette monstrueuse tornade. Un même cœur, une même âme déchiquetée.

Mais il était loin du compte.

Au-delà du désespoir, dans ce cri qu'elle étouffait contre Charles, Jeanne hurlait le temps qu'elle avait perdu à Sens quand arriver plus tôt aurait peut-être réduit la colère de Charles, empêché Guillaume de La Broce de trahir sa mère.

Un cri qui la renvoyait à ce que lui avait dit le mage : utiliser la magie noire n'est jamais sans conséquence. On ne pouvait prédire ce que le diable réclamerait en échange.

Ma faute. Tout est ma faute !

Elle se dégagea violemment de ces bras qui lui faisaient horreur, recula, hébétée, les traits mangés de morve, le regard haineux.

Charles tendit une main désespérée vers elle.

— Jeanne...

— N'avancez pas, le repoussa-t-elle en lui opposant le plat de ses paumes.

Il n'était plus que l'ombre de lui-même, mais, dans cette ombre, c'était la sienne, meurtrière, qu'elle lisait.

— Je t'en supplie. Si tu savais comme...

Elle secoua la tête, renifla.

— Non... Non... Ne dites rien. Par pitié... Ne dites plus rien. Je vais partir... Je dois partir... Vous ne me reverrez plus, n'entendrez plus parler de moi.

— Tu ne peux pas. Jeanne...

Il s'avança, bouleversé. Elle recula d'autant.

— L'Inquisition ne me lâchera pas.

— Je n'ai pas parlé de la plume. Je renverrai Gui, je ferai tomber les coupables de cette conspiration, le pape lui-même s'il le faut ! Après tout c'est mon père qui l'a installé à Avignon.

Il ne savait plus comment réparer ce regard, que dire face à cette douleur qu'il avait seul causée.

Jeanne prit sur elle pour lui faire face, une dernière fois.

— Non. Il est trop tard. On me croira toujours associée à Flore Dupin. Le complot a été bien monté. Assez pour vous conduire à lever la main sur ma famille. Leur porter atteinte, c'est admettre ma culpabilité, c'est me condamner, comprenez-vous ?

— Oui, je comprends. Mais ne me repousse pas.

— C'est impossible, gémit-elle en reculant, le pas fragile, jusqu'à la porte du placard. Entre nous désormais il y a le cadavre de mon père, la mort de ma mère.

Il s'immobilisa, abattu par l'évidence.

— Adieu, Charles, murmura-elle, éperdue, avant de disparaître derrière le battant.

Il demeura à fixer cette porte close, avec le sentiment qu'un glas venait de sonner en lui.

Son œil tomba sur l'échiquier, s'arrondit.

La plume. Elle n'est plus là.

Il la chercha du regard avant de renoncer.

Un vent chargé des remugles du fleuve soulevait les tentures de chaque côté de la fenêtre.

Envolée. Rendue à Dieu ou au diable, que m'importe désormais puisqu'ils ont gagné… Je t'ai perdue, Jeanne.

Il déplaça son roi, sourit tristement en découvrant qu'il venait d'emporter la partie : échec et mat.

Puis, de douleur, il balaya violemment le jeu.

Non... Non... Je refuse de l'accepter. Je ne peux pas... Je te ramènerai. Libre. Lavée de tout soupçon. Que tu veuilles encore de moi ou non.

Il sortit de la chambre, décidé soudain à faire exécuter Gabriel, à révoquer Robert Gui, décidé à tout faire pour détourner de Jeanne et de Flore Dupin l'attention de l'inquisiteur comme celle de ses conseillers.

46.

Paris.
Abords du palais de la Cité.

Un éclair, aussitôt suivi d'un autre, déchira le ciel noir au-dessus de l'île de la Cité. Ils permirent au clerc de trouver l'entrée de la ruelle qu'il cherchait. Il eût pu récupérer un lumignon au palais, mais l'allumer aurait trahi sa présence alors que son maître avait exigé de lui qu'il s'y fasse discret.

Il grogna en sentant une goutte de pluie épaisse tomber sur son froc, rabattit le capuchon sur sa tonsure.

Fort heureusement, songea-t-il, *je suis tout près.*

Il se dépêcha, fronçant les sourcils pour tromper la pénombre, l'oreille aux aguets, les mains rentrées l'une dans l'autre dans ses manches longues et larges. Assez pour y dissimuler son poignard.

Frère Anselme était de ceux qui accordaient à la lame la même foi qu'à la prière. Toutes deux n'étaient pour lui qu'un moyen de répandre la parole de Dieu. D'autant qu'il se savait compris et absous si, par inadvertance, et pour parvenir aux fins de son maître, il la dévoyait un peu.

Il quitta la venelle, traversa la rue de la Lanterne et souleva le heurtoir de bronze accroché au battant de bois qui lui faisait face. Deux coups, puis trois, puis un. On ne tarderait pas à lui ouvrir malgré l'heure tardive. Il recula pour scruter la rue des deux côtés. Tout était calme alentour. Malgré la fraîcheur soudaine de l'air ambiant, les volets avaient été bouclés en prévision de l'orage qui s'annonçait. Les feuilles des aulnes bruissaient sous l'assaut du vent qui s'était levé. D'ordinaire, les hautes marches menant à la nef de l'église étaient envahies par les mendiants. Il n'en vit aucun. Et pour cause. À sa gauche, par-delà la planche de Mibrai[1], le ciel se déchirait dans un combat d'épées d'un bleu glacé.

Il entendit une clef tourner dans la serrure, de l'autre côté de la poterne. L'instant d'après, il pénétrait dans l'enceinte du couvent Saint-Denis-de-la-Chartre sous les premiers battements d'une pluie chaude.

— Ça va tomber dru avant peu, nota le moine portier qui lui avait ouvert et hâtait déjà le pas le long de l'allée.

L'averse soulevait les parfums de terre et de fleurs des plates-bandes qui couraient le long des bâtiments, y mêlant celui du marécage, trop sec jusque-là, dans lequel, comme le palais royal, ce clos enfouissait ses fondations.

---

1. Actuel pont Notre-Dame.

— Miséricorde. La dernière fois qu'un orage de cette envergure a saisi Paris, ce fut pour emporter le pont aux Changes. Je vous laisse imaginer l'état de notre crypte, soupira le moine, inquiété par les furieux coups de tonnerre.

De conserve ils ébauchèrent un signe de croix pour tenter de l'apaiser. L'un pour le salut de son clos, l'autre pour celui de sa mission.

Les deux hommes traversèrent la cour du puits avec le même empressement, puis pénétrèrent dans le bâtiment aux arcades de pierre qui servait de logis aux moines.

Quelques minutes plus tard, frère Anselme se retrouvait seul et Robert Gui lui ouvrait la porte de sa cellule.

— Entrez, l'invita l'inquisiteur en s'effaçant pour le laisser passer.

Il m'attendait, nota Anselme en le voyant toujours vêtu malgré l'heure tardive.

Il releva la présence d'un vieux missel près de la couche surmontée d'un crucifix. Sur la table de lecture, un chandelier éclairait les contours d'un grimoire au cuir patiné d'où dépassait un signet d'argent.

— Je vous écoute, lança l'inquisiteur en s'asseyant dans un fauteuil, un coude négligemment posé sur le dossier.

— Permettez ? demanda au préalable frère Anselme en désignant la fenêtre ouverte.

Gui hocha la tête, le regarda la fermer sur l'averse dont le débit, à présent violent, atteignait les tomettes.

Le clerc s'accola à l'un des pilastres qui encadraient la croisée.

— Votre intuition était bonne. Elle s'est précipitée chez le roi.

Un sourire satisfait étira les lèvres fines de Robert Gui.

— Le bon indice, au bon endroit, murmura-t-il en lorgnant vers le pommeau de sa canne, ébréchée pour en prélever la pièce qu'avait découverte Jeanne.

Abîmer cet objet lui avait coûté.

Cela valait ma peine. Tout comme pénétrer dans cette crypte avant d'arriver à Rethel.

Il en chassa le souvenir. Le présent offrait bien plus d'intérêt.

— Or donc, qu'avez-vous appris de ce cher Charles ?

— Ce que vous supposiez. Guillaume de La Broce l'a aidé à se débarrasser des parents de Jeanne de Dampierre. Ils ont succombé tous deux.

Elle. Terrassée. Enfin.

Un éclair de jubilation perça l'œil fourbe de l'inquisiteur.

— Voilà ce qui rendait ce présomptueux si confiant tantôt. Et ?

— Jeanne de Dampierre a convaincu le roi de son innocence avant, bouleversée par ses aveux, de l'assurer qu'il ne la reverrait jamais.

— Bien. Il ne va donc pas tarder à m'accorder ce que je réclame.

— L'ordre est déjà donné de mener le meunier à la potence. Il sera crié demain.

— Alors tout est parfait.

— Et pour la Dupin ? s'enquit le clerc qui avait dû cesser de la suivre pour filer Jeanne.

— Elle m'a été signalée au péage de Meaux. D'Arcourt ne devrait pas tarder à la faire entrer dans Paris.

— Quels sont vos ordres ?

Robert Gui s'adossa au fauteuil, joignit les pouces et, réjoui, tapota ses doigts écartés les uns sur les autres.

— Dans l'immédiat, je n'en ai aucun à vous donner. Tout est en place. Il ne reste plus qu'à attendre. Le moment venu vous interviendrez.

Frère Anselme hocha la tête. S'il ignorait les desseins de son maître, il ne se serait jamais permis de douter de leur intégrité au regard du Très-Haut.

Il le vit se lever et se diriger vers la porte. Il en fit autant.

— Prenez du repos. Cette place est solide même si l'eau tumulte parfois à ses pieds.

— Et Dieu veille, le remercia Anselme.

— Oui, Dieu veille, répéta l'inquisiteur avant de refermer.

De nouveau seul, Robert Gui rouvrit la fenêtre en grand pour inspirer à pleins poumons les effluves qui montaient vers le bourdon de Notre-Dame. L'averse qui s'écrasait, assourdissante, dans la cour, ne parvenait pas à couvrir le vacarme des cloches.

Il offrit son visage osseux à la colère du ciel. La pluie le frappait, se déversait sur son capuce, traversa bientôt sa robe jusqu'à ruisseler à l'intérieur de ses manches. Extatique, il les releva jusqu'au coude, accola ses avant-bras nus l'un à l'autre et les tendit en avant. La pluie les cingla à leur tour, baptême qu'il ne manquait aucune occasion de renouveler.

Un nouvel éclair déchira l'obscurité. Cette fois, Gui eut l'impression qu'il lui pénétrait la chair.

Lors, il s'arqua en arrière, exposant plus encore au déluge cette tache qui le différenciait des autres depuis sa naissance.

Cette tache qui lui avait valu d'être abandonné par ses parents et recueilli par les Dominicains.

Après des années à se demander ce qu'elle signifiait, le procès de l'ordre du Temple lui avait enfin permis de la nommer : le Baphômet.

Il aimait à penser qu'elle avait fait de lui un homme de Dieu alors que le diable l'avait inscrite sur la peau de la comtesse de Rethel.

Mais c'était terminé.

La comtesse avait péri et il était le seul à la porter à présent.

Avec Flore.

Flore qui n'allait pas tarder à tomber dans ses filets.

47.

Abords de Paris.

Les trombes d'eau s'étaient abattues sur les épaules d'Armand et de Flore alors qu'ils approchaient de Paris. Ils avaient trouvé refuge sous l'arche d'un vieux pont de pierre, mais le niveau de la petite rivière avait rapidement monté, menaçant leur sécurité. Contraints de rejoindre la grand-route, ils avaient repris leur marche.

Si elle n'avait vu ses parents assassinés, Flore aurait sans peine considéré cette nuit cauchemardesque comme la pire de son existence. À chaque instant elle sursautait sous le claquement du tonnerre. Armand ne disait rien, mais sa main, crispée autour de la sienne, la forçait à combattre sa peur, à défier cette pluie battante, ce ciel d'encre traversé de zébrures. Elle n'apercevait le chemin devant elle qu'au travers de leurs fulgurances bleutées, claquait des dents quand elle avait eu si chaud dans la journée.

À l'approche du bourg de Saint-Paul, ce qu'elle redoutait tant prit soudain corps. La foudre tomba sur un arbre qui bordait la route, faisant trembler le sol sous leurs pieds trempés, brûlant leurs yeux de sa clarté fulgurante et les repoussant, saisis, en arrière. La fraction de seconde suivante, une colonne de flammes montait vers les nues, malgré cette pluie drue qui voulait les rabattre.

— Viens, l'entraîna Armand au pas de course comme les branches éclataient, projetant des flammèches.

Ils contournèrent l'incendie par la gauche, rasèrent une clôture s'élevant à hauteur d'homme. Flore était terrorisée, certaine qu'ils seraient, l'un ou l'autre, peut-être même ensemble, la prochaine des cibles divines. Elle ne voyait plus rien que ce platane, battu par le feu, le vent et la pluie, qui tentait de survivre.

Et puis soudain un nouvel éclair déchira ce rideau, illuminant une enceinte crénelée à l'horizon.

Paris, comprit Flore.

Elle estima la cité à cinq, six lieues de distance à peine. Leur course, même déviée, les menait droit vers elle.

Armand l'immobilisa brusquement. Il venait d'apercevoir un creux dans le mur de clôture.

— Une ancienne poterne à bétail. Elle est murée de l'intérieur, cria-t-il dans le tumulte avant de la précipiter dessous et de s'y agenouiller à son tour, le dos courbé pour que son pluvial[1] en ferme l'entrée.

Durant les premières minutes, tels deux animaux pris au piège, les côtes pénétrées par la saillie des moellons, ils ne guettèrent que les bruits extérieurs dans

1. Cape en cuir huilé.

l'espoir que l'orage s'éloigne, qu'ils puissent retrouver l'usage de leurs membres tétanisés, achever leur périple inconfortable.

Flore osait à peine respirer. Et puis soudain, un rire discret traversa leur abri de fortune.

— Qu'y a-t-il d'amusant ? s'étonna-t-elle.

— La situation. J'avais imaginé un autre moment, un autre lieu.

— Pour quoi donc ? s'ahurit-elle avant de sentir les lèvres d'Armand achever d'ouvrir les siennes.

Son cœur s'emballa. Elle répondit à ce baiser comme dans un rêve. Étourdie par ce désir de lui qu'elle avait si souvent refoulé, elle ferma les yeux, s'imprégna de ce parfum de terre humide, de bois brûlé qui emplissait ses narines et la troublait plus encore.

Puis Armand s'écarta.

— Je t'aime, Flore, l'entendit-elle murmurer au milieu du fracas de l'arbre sur la chaussée.

L'émotion l'emporta. Elle eût voulu lui répondre qu'elle aussi, mais elle ne sut que se mettre à pleurer, à rire, et encore à pleurer tandis qu'elle lui prenait le visage et à son tour le guidait vers le sien.

Elle ne se souvint pas du moment où il la cueillit dans ses bras et y façonna un dossier pour qu'elle s'y repose. Mais lorsqu'elle s'éveilla, le menton d'Armand pesait sur son front et un franc soleil caressait un petit cercle de pierre devant elle.

Elle ramena ses bras sur ceux du rémouleur, un élan d'amour au creux des veines.

Je ne serai plus jamais seule. Non. Plus jamais, s'embrasa-t-elle tandis qu'il s'éveillait sous sa caresse.

Il resta de longues minutes sans bouger, malgré son corps moulu, savourant cet instant de grâce qu'il s'était pourtant promis de ne pas oser provoquer, puis piqua un baiser sur sa chevelure rincée par l'orage.

— Mieux vaut ne pas rester là. La pluie a achevé de chasser le masque putride sur nos visages. Il va falloir se faufiler parmi la foule pour entrer dans Paris.

Et Flore se remit à trembler.

Comme chacun des accès à la cité, la herse de la porte Baudeer n'était relevée qu'au moment où la lumière du jour en perçait les ferrures. Lorsqu'ils parvinrent à son pied, ils ressemblaient à deux loqueteux mais plus à des lépreux. Et le regard qu'ils échangeaient par instants, lèvres gonflées par le même désir frustré, leur interdisait de prétendre cette fois à un quelconque lien de parenté.

Inutile de servir aux soldats ce qui nous a sauvés jusque-là, en avait conclu définitivement Armand.

Il cherchait encore comment déjouer leur surveillance lorsqu'il aperçut un groupe de bohémiens. Flore ne put soudain plus détacher ses yeux d'une jeune femme à la robe chatoyante bien que rapiécée, des clochettes qui, pendues à un foulard noué, dansaient sur ses hanches, de la cascade brune de ses cheveux, du singe qui rongeait un trognon de pomme sur son épaule. Autour d'elle, les hommes du clan portaient anneau à l'oreille, bandeau autour du front, et des yeux aussi bleus que l'azur à nouveau sans traces. Ils approchaient au rythme de leurs cithares et de leurs flûtes, dégageant la route à un chariot dans lequel un ours assoupi attendait qu'on l'exhibe.

— Voici ce qu'il nous faut. Reste là, décida Armand en se détachant de l'arbre contre lequel ils s'étaient adossés.

Flore le vit rejoindre l'un des musiciens, parlementer quelques minutes, déposer dans sa main ouverte ce qui leur restait de monnaie, puis lui faire signe de les rejoindre.

Pas plus que le restant de sa famille, le bohémien ne posa de questions. Il héla juste un nain, assis à l'arrière du chariot, près de la cage.

Quelques minutes plus tard, la herse de la porte Baudeer remontait dans un crissement d'acier et la foule s'ébranlait, montrant patte blanche à la maréchaussée.

Quant à eux, cernés par les bohémiens, leurs hardes disparues sous des manteaux colorés, le front ceint de masques, ils frappaient du tambourin, ajoutant du rythme au déhanché d'une Esmeralda au regard enjoué.

Les soldats ne virent qu'elle, sa bouche rouge, ses longs cils recourbés, le dessin parfait de ses seins, ces mains qui s'envolaient et cette taille fine.

Et Flore, en pénétrant dans Paris, ne voulut plus que se réjouir de ce baiser qui continuait, en elle, à palpiter.

48.

Paris.

Île de la Cité.

Jeanne de Dampierre tressauta dans son sommeil.

Elle avait presque couru pour s'arracher du souterrain, avant, brusquement abattue, de se laisser tomber à quelques pas de la sortie dont Charles IV, autrefois, lui avait remis la clef.

L'épuisement moral, physique, le chagrin, la culpabilité, le manque de nourriture, d'eau, autant de raisons qui lui avaient retourné l'estomac et fauché les jambes. De celle qu'on jalousait hier, de celle qu'on craignait hier, il n'était plus rien resté qu'une ombre. Comme si cela ne suffisait, elle avait soudain vu déferler des rats par la grille. Ils quittaient le marécage pour remonter dans les sous-sols du palais. Paniquée par leur nombre, craignant qu'ils ne se jettent sur elle, ne la mordent, ne la dévorent, elle s'était agitée, débattue avant de comprendre, au premier grondement du tonnerre, de quoi il retournait. Lors, laissant passer cette vague comme les précédentes, elle s'était recroquevillée sur elle-même et avait accepté de s'abandonner à d'incontrôlables sanglots.

Elle avait tout perdu. Elle ne pouvait même plus chercher appui auprès de Guillaume de La Broce. Un ami de longue date, sa main de l'ombre… Sa mère en était persuadée. Comment y croire quand il eût pu, d'un simple mot, prévenir ses parents du danger, leur permettre de fuir puis affirmer au roi que le château était vide quand il s'y était présenté ?

Trahison, hurlait son cœur. Mais n'avait-elle pas été la première à en user avec Charles ? Elle ne parvenait même pas à lui en vouloir, convaincue que tout était sa faute. À s'immiscer dans les choix de sa mère, elle n'avait fait qu'en précipiter la fin, et celle de son père.

Il me reste mon frère, avait-elle songé avant de pleurer plus chaudement encore.

Il avait dû être prévenu de la mort de leurs parents. Demanderait-il des comptes ? Elle en doutait. Son mariage avec Marguerite Ire de Bourgogne, la nièce de Charles, lui avait offert une place de choix au sein du royaume. Sans compter qu'il hériterait du double titre de comte de Nevers et de Rethel et jouirait des avantages y afférents, dont celui de succéder directement à leur grand-père, le comte de Flandre, à la mort de ce dernier.

Louis. Un cœur de glace dans un fourreau d'acier.

Tel le décrivaient leur grand-père avec fierté et leur mère avec tristesse. Les béguines n'étaient rien à ses yeux. Et elle, qu'on avait contrainte à le devenir, encore moins.

Un jour de plein hiver, alors que, apprenant son séjour à Paris, elle lui avait rendu visite, il l'avait reçue dans le vestibule du logis, la pièce la plus petite, la plus austère de cette immense propriété d'Outre-Grand-Pont. Tout ce que Paris comptait d'influent se partageait sa table dans la salle voisine. Il ne s'était excusé auprès d'eux que pour lui signifier qu'elle n'était pas la bienvenue. Frappée dans son cœur autant que dans son orgueil, elle avait osé lui en demander la raison.

La réponse avait été mordante :

— Vous pouvez afficher pignon sur rue, vous revendiquer d'un ordre créé par saint Louis en personne, vous ne serez jamais que la putain d'un prince.

— Je n'en suis pas responsable ! s'était-elle indignée.

Il l'avait toisée de son insupportable superbe.

— Vraiment ? Alors quittez cette fourrure, courez au premier véritable couvent et réclamez qu'on vous enclose entre quatre minuscules murs. Vous y rachèterez peut-être le déshonneur qui, depuis votre égarement, pèse sur notre famille.

Il s'était détourné. Elle n'avait pas attendu qu'il quitte la pièce pour rugir :

— Honte ? Lequel de nous deux doit-il l'éprouver ? Moi qui couche sous un prince ou vous sur une princesse[1] ? J'y ai peut-être perdu une réputation et un époux, mais vous ce sont les commerçants de Flandre. Un jour viendra où, maître de leur comté, ils vous demanderont des

1. Le mariage de Louis avec Marguerite de Bourgogne a été conclu entre Philippe le Bel et Robert II de Flandre, le grand-père de Louis et de Jeanne, en échange du transfert de souveraineté de la Flandre romane (transport de Flandre) et d'un impôt écrasant pour les commerçants.

comptes et vous considéreront avec ce mépris dont vous me couvrez aujourd'hui. À ce détail près: ce jour-là, mon prince sera peut-être devenu roi et vous, son valet.

— Roi peut-être, maudit sûrement, avait-il lancé en tournant les talons.

Elle savait qu'il la soutiendrait encore moins aujourd'hui qu'hier.

Il ne me reste plus qu'à quitter le pays tel que je l'avais envisagé avant de voir mère.

Elle se prit la tête dans les mains. Elle ne parvenait pas à croire que ses parents ne soient plus. Et pourtant la douleur était là, en elle, comme une plaie vive qui l'aspirait tout entière.

À quoi bon retrouver sainte Colombe, résoudre le mystère de ses origines, des origines du miracle ? Pour Flore ? Armand saurait prendre soin d'elle en Angleterre. C'était un homme plein de ressources, avait affirmé sa mère. À cette heure, ils avaient déjà dû quitter Paris, trouver des chevaux, un bateau qui descendrait la Seine jusqu'à Rouen. Ils n'avaient pas besoin d'elle. Et Flore se satisferait sans peine d'une vie sans contraintes. Quant au royaume ! Trois rois venaient de se succéder sans avoir été oints par le sang ambré de sainte Colombe. Si Guillaume de La Broce ne les avait occis, ils auraient régné quand même. L'Église continuerait à sacrer les suivants à l'aide de son propre baume. Tout ne serait que mensonge. Au regard de qui ? Dieu ? Il n'avait pas empêché la mort des Templiers, ni celle de ses parents.

Ne blasphème pas, se fustigea-t-elle. *Tu ignores ses desseins.*

Mais Jeanne, elle, ne se voyait plus de but. Elle songea que la mort lui irait bien.

Non. Je ne suis pas assez désespérée.

Lors elle avait attendu qu'au-dedans comme au-dehors l'orage s'éloigne. Au moins lavait-il cette terre qu'elle avait souillée.

Le petit jour la trouva baignant dans l'eau putride. Elle eût pu s'y noyer dans la nuit. Dieu l'avait épargnée. Elle en conclut qu'elle ne devait pas pleurer sur elle-même. Qu'elle devait continuer de vivre. S'en trouver une nouvelle raison.

Tout aussitôt les traits tourmentés de Charles s'imposèrent à elle.

Sans mon intervention diabolique, jamais il ne se serait attaqué à mes parents. Il n'a été que l'instrument de mes choix.

Cette réalité lui explosa au visage.

Je suis seule responsable de la perversion de son âme.

Elle se revit face à lui, dans cette chambre qu'elle avait quittée la veille.

Elle l'avait lu dans son regard : il l'espérait.

Pour savoir si je t'aimais vraiment sans doute. La réponse est « oui », Charles. Je crois bien que je t'ai aimé au premier regard que j'ai posé sur toi. Mais mon frère avait raison. Cet amour a grandi dans le déshonneur de ma famille. En me forçant ce jour-là, en m'achetant, tu m'as convaincue qu'il était inconvenant que j'éprouve pour toi autre chose que de la rancœur, de la soumission, puis lorsque j'aurais dépassé tout cela, de l'ambition à te rendre fou et servile.

Une larme roula sur sa joue.

Je n'ai jamais voulu que tu meures. Mais tu étais déjà condamné. Comme ton père, comme tes frères, comme tes neveux. J'ai seulement voulu que ce soit moi et pas un autre. Pas ma mère. Je m'en croyais capable, mais il faut croire que la perte de cette aumônière était un signe du destin. Un moyen pour Dieu de me mettre face à moi-même, à mon erreur. Comment ai-je pu croire que l'amour serait moins fort que la haine ? Je me suis trompée. Et j'en paie le prix. Si cher, mon amour. Si cher…

Elle refoula un sanglot. Il était trop tard pour les larmes, trop tard pour se flageller. Trop tard pour tout.

Non, se révolta-t-elle. *Tu l'as dit toi-même. Tu es seule responsable. Tu peux encore te racheter. Sauver l'homme que tu aimes. Le seul qui croie toujours en toi.*

Tout recommencer.

Elle s'extirpa du soubassement de la tour. De l'eau boueuse jusqu'à mi-cuisses, s'aidant du départ du pont aux Meuniers, elle s'appliqua à remonter sur la berge. Elle ne pouvait plus s'attarder là sans qu'on finisse, malgré son état, par la reconnaître. Elle tomba les yeux sur ses chausses et enquilla le pont aux Changes, l'esprit bouillonnant à nouveau.

Si je sauve Charles, Guillaume de La Broce le tuera. Je dois l'en empêcher.

De chaque côté d'elle, joailliers et changeurs relevaient leurs éventaires détrempés. Leurs boutiques étaient si serrées, si hautes et accolées les unes aux autres, qu'on voyait à peine la Seine. Mais Jeanne avait, ce matin, d'autres préoccupations que le paysage.

Son esprit était devenu clair.

Elle devait, dans un premier temps, trouver le moyen d'inverser la malédiction qu'elle avait lancée, dans un deuxième éliminer Guillaume de La Broce avant qu'il ne le comprenne, puis découvrir dans les archives du Temple ce qui faisait de Colombe la première à avoir été marquée par le Baphômet. La première des gardiennes.

Je retrouverai l'endroit où mère l'a transportée. Ensuite je rappellerai Flore en France, j'expliquerai qui elle est à Charles, l'importance qu'elle revêt pour la couronne. Je lui donnerai l'or romain, j'abolirai cette malédiction, lui permettrai de concevoir un héritier avec sa nouvelle épouse. Et je ferai de lui, dans son ombre, le plus grand des rois de la chrétienté. Mais avant…

Elle contourna la masse imposante du Grand Châtelet, enquilla la rue Saint-Denis qui lui faisait face au sortir du pont aux Changes, et entra dans la première taverne qui se présenta.

Elle n'arriverait à rien dans cet état de fatigue, de chagrin. Il fallait qu'elle mange, qu'elle boive, qu'elle dorme.

Qu'elle vive.

49.

Paris.

Outre-Grand-Pont.

La porte Baudeer passée, Flore et Armand avaient rendu capes et masques aux bohémiens.

— Toutes les grandes cités se ressemblent, Flore, lui avait affirmé Armand. On y trouve la même prodigalité, de rue en rue, selon la spécialité de chacune. Sur le sol, sur les éventaires, dans les arrière-boutiques que tu apercevras depuis les portes ouvertes. Tu verras.

Elle voyait. Ce ciel bleu, réduit en bandes étriquées par les pignons rapprochés. Les échoppes étaient hautes, étroites, enchâssées presque les unes dans les autres tant les bois des colombages finissaient là où d'autres commençaient. Elle cherchait à tout voir, les fours qui ronflaient, les tisserands qui lançaient leurs navettes, les selliers qui tiraient sur l'alène, les cordes tendues entre les toits sur lesquelles dansaient mouchoirs de dentelle ou brodequins de soie.

Armand serrait sa main, comme une promesse de jours meilleurs. Et Paris, ce Paris qui s'ouvrait à elle, ce Paris qu'elle avait craint parce que le roi y demeurait, devenait son allié. Elle se faufilait parmi les étals, armée de cette confiance qui lui avait si cruellement fait défaut ces jours derniers, de cette force qu'on avait voulu lui arracher.

À certains endroits, les encorbellements se frôlaient tant qu'il avait fallu les soutenir par des arches sous lesquelles un charroi passait à peine. Armand se collait à elle ou la maintenait devant lui, par la taille, pour avancer.

Dans ces goulets qui apportaient une ombre épaisse au-dessus de leurs têtes, les odeurs devenaient plus fortes. Celle du pain chaud surpassait les autres, rappelant à Flore qu'elle mourait de faim et qu'ils n'avaient plus d'argent pour y remédier.

La rue de la Verrerie les amena devant l'enseigne de Guy le vitrier. Mort au début de ce siècle, il avait légué son savoir-faire à de nombreux artisans du devoir mais aussi à ses fils. Le dernier en date, longue crinière blanche, l'air exalté, lui indiqua Armand, pointait du doigt les vitraux latéraux de l'église voisine.

— Du sable et des flammes ! Voici de quoi naît le souffle divin ! Venez ! Venez en voir l'œuvre ! hurlait l'homme à l'intention des chalands susceptibles de lui passer commande.

Flore le vit en entraîner deux dans son atelier.

— Tout maître qu'il soit, il ne cède à personne le droit de crier à sa place. Il prétend que cela entretient le volume de sa poitrine et donne à ses carafes de plus belles inclusions, assura Armand que l'homme avait salué d'un geste.

— Je le crois, s'étourdit Flore devant sa devanture ornée de pièces somptueuses. D'où le connais-tu ?

Il s'immobilisa, planta son regard dans la pervenche du sien, un sourire empli de douceur aux lèvres.

— Je suis un bâtard, Flore. Le fils d'un seigneur puissant et d'une servante mariée à un rémouleur. Ce quartier était le mien, enfant. On m'y respecte pour ce que je fus avant d'embrasser le métier de l'homme qui m'a élevé.

— Un Templier...

— L'art des vitraux comme tous ceux du bâtiment ont obéi à une impulsion. Celle de ramener le peuple au divin. L'Ordre fut aussi créé pour cela. Servir le temps des cathédrales. Du sacré.

— Tu me raconteras ?

— Oui, affirma-t-il en déposant un baiser léger sur son front.

Un goût de trop peu qui embrasa leurs regards. Armand détourna le sien. L'heure n'était pas aux caresses. Il connaissait Paris, et savait mieux que quiconque que ces ruelles, ces gens pouvaient aussi bien vous cacher que vous perdre.

Ils reprirent leur marche.

— Repentez-vous, vils pécheurs, âmes de luxure, pelures de diables, argentiers de Satan ! entendit soudain hurler Flore.

Armand éclata de rire devant son air surpris.

— Mauléon le prédicateur. Il se tenait autrefois de l'autre côté du carrefour, contre la première des maisons de la rue de la Buffeterie[1] mais, excédés, les Lombards ont réussi à l'en chasser. Guère loin ! ajouta-t-il en le lui désignant du doigt.

Figure frêle, secouée de tremblements, regard vide, index pointé au ciel. Le moine se tenait sur une petite estrade, qu'il repliait le soir avant de rentrer à Saint-Merri, lui expliqua Armand en leur frayant un passage dans le flux des voitures et des gens.

La voix du prédicateur se perdit dans le tumulte. Et Flore l'oublia devant la splendeur qui s'ouvrait à elle. Toutes les habitations étaient en pierre, les toits en ardoise. Les perrons semblaient neufs à force d'être cirés, les fenêtres, les façades rivalisaient d'arcs, de voûtes de colonnes, de tourelles.

— Tu vois ici ce que j'évoquais tout à l'heure. L'évolution de cet art du bâti que Bernard de Clairvaux a initié en arrachant à la terre serfs et vilains pour qu'ils apprennent à lire, à écrire, à compter. Pour qu'ils apprennent à tirer de Pythagore et d'Euclide la notion de trait, lui expliqua Armand.

Elle lui retourna son sourire.

Un savoir qu'en un peu plus d'un siècle les Templiers ont protégé et permis d'étendre, comprit-elle devant sa fierté.

La rue était parcourue par les mêmes cris qu'ailleurs. À la différence près que les petits vendeurs de fromage blanc, d'oignons, d'étoupe, d'herbes, ou encore de

1. Devenue la rue des Lombards.

bougies, abordaient de riches notables, des prélats grassouillets, des nobles à la longue épée.

La maison Peruzzi devant laquelle ils s'arrêtèrent au bout de la rue, était en travaux. Un échafaudage de bois recouvrait la façade. À mi-hauteur, deux artisans grattaient la pierre à grands coups de fer. Sitôt qu'ils passèrent la porte, deux commis se précipitèrent, armés d'une brosse à habit.

Flore ne put s'empêcher de sourire devant l'empressement qu'ils mirent à chasser la poussière de leurs épaules.

Des gueux traités comme des princes.

Elle en comprit la raison lorsqu'un homme aux rides profondes s'inclina devant Armand :

— Je vais prévenir de votre arrivée, sire d'Arcourt.

— Je vous remercie, Giovanni.

Un bâtard. Le fils d'un puissant et d'une servante. Respecté, se souvint-elle.

Mais ce n'était pas du respect qu'elle venait de lire dans le regard de cet homme.

De la peur. Armand l'effraie. Pourquoi ?

Elle n'eut pas le loisir de le lui demander. L'assistant revenait déjà.

La minute d'après, Flore était invitée à patienter tandis qu'Armand disparaissait par une porte derrière laquelle elle aperçut un homme au visage hâlé.

Un parfum entêtant fleurissait l'antichambre tapissée de lambris. Dépitée d'être tenue à l'écart, elle plongea son regard par la fenêtre. Des rosiers emportaient les façades et le parterre du jardin enclos par les bâtiments.

L'un d'eux doit jouxter un couvent, nota-t-elle en découvrant un groupe de moines près d'un pilier.

Rien qui eût dû la frapper.

Elle se rejeta pourtant en arrière, le cœur battant à tout rompre, certaine qu'un des regards s'était arrêté précisément là où elle se tenait.

50.

Paris.

Outre-Grand-Pont.

— À présent que nous voici riches, que dirais-tu de changer d'allure ? Le cimetière des Saints-Innocents est à deux pas. Le lieu n'est guère affriolant, mais on y trouve les meilleurs fripiers, lança Armand en attachant une bourse rebondie à sa ceinture.

Il venait de la rejoindre dans l'antichambre du banquier Peruzzi où elle avait fini par se rassurer en découvrant que le jardin, au-dessous d'elle, s'était vidé.

— Peu m'importe de marcher sur des tombes, tant qu'on ne creuse pas la mienne ! Mais pour l'heure, je t'avoue que je suis surtout affamée.

— Alors prenons le risque de tacher ces hardes, puis changeons-nous.

Quelques minutes plus tard, avalés par la multitude, ils remontaient la rue Saint-Denis en direction de la porte du cimetière et Armand lui désignait l'étal d'une rôtisserie dont le fumet annonçait la fin de leurs carences.

Tandis que le marchand leur remettait deux gros pains de viande et qu'Armand lui tendait sa monnaie, Flore ne put s'empêcher de regarder en arrière.

— Que cherches-tu ? s'étonna-t-il en la voyant scruter la foule.

Elle se sentit sotte et, renonçant à avouer qu'elle était inquiétée de quelques moines quand ils en étaient cernés, elle désigna les tours austères qui pointaient au bout de la rue.

— Qu'est-ce ?

— Le Grand Châtelet. Il fait office de prison royale et surveille le pont aux Changes qui conduit au palais de la Cité… Où nous n'irons pas, ajouta Armand en lui tendant son repas.

— J'aime autant, approuva-t-elle en mordant goulûment dans une tranche.

Une explosion de parfums lui éclata en bouche, lui ramenant le souvenir de la recette de sa mère : pain, foie, vin, poulet, broyés ensemble dans le bouillon avant d'être accommodés de verjus, de maniguette, de gingembre et de cannelle, puis enfournés. La dernière fois qu'elles en avaient fait ensemble, ç'avait été pour partager leur repas avec Gabriel et ses parents.

— Remontons, veux-tu ? l'entraîna Armand qui avait vu passer une ombre dans son regard.

Elle avala sa bouchée, en préleva une autre, le regard résolument porté vers la petite flèche du clocher de l'église des Saints-Innocents tandis qu'autour d'eux la masse gouailleuse se resserrait.

Soudain, bousculée, elle sentit sa main perdre celle d'Armand. Cela ne dura qu'une fraction de seconde mais il put lire l'éclat de panique de son regard. Il se rapprocha d'elle.

— Retiens bien ce nom. Porte Saint-Honoré. Le flux des voitures et des gens va considérablement enfler au fur et à mesure que nous en approcherons. Si nous venions à être séparés, pour quelque raison que ce soit, c'est cette sortie de Paris qu'il te faudrait demander et gagner. Un cordonnier tient boutique à quelques pas de la barbacane sous l'enseigne « Au clou du roi ». Entres-y et, si je n'y suis déjà, attends-moi. Il se montrera des plus prévenants si tu me nommes.

— Un de tes amis ? Comme Benoît et Adélys ?

— C'est ça.

— Au clou du roi… Mais cela n'arrivera pas, n'est-ce pas ?

Il fronça les sourcils, la forçant à ajouter, reprise d'angoisse :

— Être séparée de toi ? Ça n'arrivera pas ?

Il déposa un baiser léger sur ses lèvres.

— Non. Cela n'arrivera pas. Allons, nos ventres sont pleins, il ne nous reste plus qu'à nous changer et à filer.

Armand n'avait pas menti. À cette heure, le cimetière était déjà encombré d'étals et de vendeurs à la sauvette.

Une aberration, réagit Flore devant la pestilence qui s'en dégageait. Elle en chercha la provenance, aperçut une pile de corps en décomposition dans l'un des charniers que l'on n'avait pas encore refermé.

— Ne nous attardons pas, conseilla Armand en la voyant plaquer sa manche sur son nez.

Il l'entraîna vers une tour octogonale montée sur trois niveaux. Un fripier tenait boutique autour, ajoutant au nombre des vêtements qu'il exposait une grande quantité de médailles et de cierges.

Tandis qu'Armand faisait emplette de chainses, de cottes et de nouvelles chausses pour lui comme pour elle, l'œil de Flore s'arrêta sur une vieille femme qui, à quelques pas d'eux, semblait murmurer à la pierre.

— Elle s'adresse à Béatrice la recluse. Y a vingt ans qu'elle est emmurée là-dedans, derrière la statue de la Vierge, expliqua le marchand en leur rendant la monnaie.

Flore frissonna. Elle avait entendu parler de ces femmes qui choisissaient l'isolement et le dénuement total, mais l'emplacement lui rendit les vœux de celle-ci plus incompréhensibles encore.

Elle détourna les yeux, saisit les vêtements, étonnamment propres, qu'Armand lui tendait.

— Il va falloir trouver un endroit discret pour que je les passe. Hors de question que quelqu'un aperçoive ce que tu sais…

— L'église ?

Son portail, surmonté d'une rangée de saints colorés, leur faisait face.

— Oui, cela devrait convenir, accepta-t-elle en contournant un trou fraîchement creusé.

Elle ne voulait plus que s'extraire de cet endroit où, malgré les cris des marchands, la mort semblait rôder.

La nef dans laquelle ils pénétrèrent était sombre, empesée d'un parfum d'encens et de benjoin.

— Par là, indiqua Armand en avisant une petite chapelle latérale.

Derrière la grille qui la fermait, un cierge achevait de se consumer.

L'endroit était discret à souhait.

Ils s'y enfermèrent.

Lorsque Armand se retourna, Flore achevait de lacer sa chainse d'homme. Il s'approcha, déposa un baiser sur son front.

— Prête ?

— À te suivre ou à t'aimer ?

— Les deux.

— Alors, quittons cet endroit et trouvons des chevaux.

— Mieux vaut en louer hors de la ville. Cela va nous contraindre à marcher deux heures encore, mais on nous remarquera moins.

Elle hocha la tête, non sans retenir un soupir. Elle se serait bien vue galoper à ses côtés, au lieu de marteler les pavés. À présent que son estomac était repu, que sa peau retrouvait le contact d'un tissu souple, elle n'avait plus envie de cette foule de gens, de bestiaux autour d'eux que l'à-pic du soleil de midi n'allait pas tarder à rendre insupportable.

Je préfère encore ça pourtant à l'odeur des corps en décomposition.

— Une autre sortie que le cimetière ? réclama-t-elle.

Il sourit. Elle avait peigné ses cheveux avec ses doigts, les avait nattés, puis avait frotté son visage avec l'eau qui restait dans sa gourde.

Que perdrait-il à lui plaire, en cet instant où tout en elle reprenait vie ?

Le temps de remonter la chapelle Saint-Michel, de contourner le clos et de redescendre jusqu'à la place aux Chapes. Un maigre détour pour un sourire, s'en conforta-t-il.

— Oui, du côté de la rue d'où nous venons. De là nous prendrons sur la droite et nous redescendrons celle qui longe le charnier sud, jusqu'à la porte Saint-Honoré, assura-t-il en remontant la nef.

Ils poussèrent le battant, prêts à obliquer sur leur droite, avant de s'immobiliser, saisis. Un groupe de cavaliers, suivi par une foule caquetante, remontait la rue, leur interdisant le passage.

Flore se trouva violemment ramenée en arrière, dans l'ombre de l'encadrement.

— Là ! murmura Armand, fébrile.

Elle suivit la direction de son index, accrocha un visage anguleux, deux yeux de jais.

— Robert Gui !

Ce ne fut pourtant pas sur lui que s'arrêta le regard exorbité de Flore, mais sur l'homme que des chaînes maintenaient debout, comme un animal de foire, dans la cage qui suivait. Ses traits marqués par la souffrance, les plaies à même son torse nu, indiquaient clairement qu'on l'avait soumis à la question.

Lors quelque chose se déchira en elle, quelque chose qu'elle croyait avoir renié, oublié.

— Gabriel ! gémit-elle, épouvantée, rattrapée par la tendresse qu'elle lui portait.

51.

Paris.
Outre-Grand-Pont.

— Place ! Place aux soldats du roi !

Jeanne de Dampierre avait relevé la tête de son écuelle. Dans un même élan, tous les clients de la taverne s'étaient précipités, qui dehors, qui aux fenêtres, prêts à se bousculer, à se piétiner pour apercevoir le convoi.

Elle n'avait pas quitté sa table, chèrement acquise vingt minutes plus tôt. Crottée par la fange du fleuve, empestant la sueur et l'égout, les cheveux en désordre, les traits mangés par le sel de ses larmes, elle avait dû redresser le jabot et déposer sur le comptoir plus que ne valait son couvert pour qu'on ne la rejette pas au pavé.

Elle avait bien l'intention de terminer ces œufs brouillés au lard, cette pinte de verjus aux épices et cette potée de choux aux amandes !

Et pour apprendre quoi ? Elle se doutait bien qu'une ou plusieurs Dupin n'allaient pas tarder à crier leur innocence depuis cette charrette dont le grondement des roues traversait la pièce. Elle ne pouvait rien pour ces malheureuses. La seule dont elle voulût se soucier devait déjà être loin, en sécurité.

Et puis le héraut avait proclamé le nom du condamné à la potence et Jeanne avait manqué s'étrangler en avalant sa dernière gorgée.

Sieur Gabriel de Rethel, meunier de son état.

Elle n'avait pas entendu le chef d'accusation, les commentaires fusaient autour d'elle, mêlant l'étonnement à l'effroi.

Elle avait bondi de son siège, abandonnant sa dernière bouchée en même temps que ses résolutions et, jouant des coudes dans cette masse humaine curieuse d'aller au cirque, avait quitté son abri pour remonter jusqu'à lui.

Elle y parvenait presque, les sens aux abois, les pensées en désordre, incapable de comprendre pourquoi Charles condamnait Gabriel après leur échange de la nuit, pourquoi le convoi n'avait pas obliqué tout de suite en direction de la place de Grève, pourquoi il remontait la grand-rue.

Sans doute veulent-ils attirer le plus de monde possible, faire un exemple.

Elle eût dû s'en éloigner, mais une part d'elle se sentait responsable. Il lui fallait dire adieu au meunier quand il n'était rien pour elle, rien qu'un souvenir attaché à Rethel, à Flore.

Elle l'aperçut, brinquebalé, crucifié par ses chaînes autant que par ses plaies, balayant la foule d'un œil tourmenté. À cet instant, un capuchon de moine fut arraché devant elle, attirant son attention. Le regard qui se tourna vers l'imprudent la glaça.

Le moine. Le moine de la chapelle d'Azon. Frère Anselme !

Bien trop loin de Sens pour être celui qu'il avait prétendu. Que faisait-il là ? L'avait-il suivie ? La cherchait-il dans la foule ?

Le convoi approchait de l'église des Saints-Innocents, ralliant de plus en plus de monde dans ce tour de parade qui finirait place de Grève.

Rasant les murs, elle recula jusqu'à mettre assez de gens entre eux, vit Robert Gui qui chevauchait en tête du cortège.

Frère Anselme serait-il à son service ?

Elle avisa une ruelle latérale, décida de s'y faufiler, aperçut à cet instant une silhouette qui se déplaçait sur le toit d'une maison, en face de l'église.

Un archer ! s'étonna-t-elle en le voyant s'installer. *Dans quel dessein ?*

Elle continuait d'avancer, poussée par cette marée humaine derrière elle, n'allait pas tarder à pouvoir bifurquer, mais son esprit galopait.

Qui d'autre que Robert Gui pour avoir décidé d'une embuscade ? Qui cherchait-il à arrêter ? Et soudain, l'image du meunier éclata dans sa tête. Pourquoi le promener si ce n'était pour débusquer plus gros gibier ? Contrairement à ce qu'elle avait cru, Flore devait toujours se trouver à Paris et l'inquisiteur le savait. Sans doute avait-il posté d'autres guetteurs ailleurs. À moins que les fuyards ne lui aient été signalés.

Son sang ne fit qu'un tour.

Et si Flore et Armand étaient là, quelque part, piégés ?
Elle ne les laisserait pas prendre. Elle le devait à sa mère. Elle le devait à ses nouvelles résolutions autant qu'à elle-même.

La rue Trousse-Vache s'était ouverte devant elle. Elle joua des coudes, s'y engouffra précipitamment. Un escalier grimpait le long d'une façade de bois. C'était forcément celui qu'avait emprunté l'archer.

Elle monta à l'assaut des marches, rejoignit une corniche, puis gravit l'échelle qu'elle trouva entre deux bâtisses.

Refusant tout vertige, certaine que la clameur du peuple couvrirait sa progression, elle s'avança sur les ardoises luisantes, son poignard au poing, décidée à l'abattre sur ce dos ramassé, avant que l'homme ne puisse la désarmer ou tirer.

Je t'aurai, tambourinait son cœur.

Mais elle vit soudain la silhouette se déplier face à la rue, ramener son bras en arrière et arracher une flèche à son carquois.

Non. Non. Non. Non !!!

Elle n'était plus qu'à quelques pas de lui. Elle se jeta en avant, quitte à les précipiter tous deux au bas, sur la foule. Il pivota brusquement vers elle à l'instant où elle s'apprêtait à le poignarder. Et son geste se figea.

Sous ce capuchon, un visage surpris venait de s'illuminer.

— Jeanne !

— Mère !

Jeanne ne sut plus soudain si elle devait rire ou pleurer.

— Je vous pensais morte !

— Je l'ai seulement laissé croire.

La comtesse de Rethel ne lui laissa pas le temps de s'en émerveiller.

— Baisse-toi ! Tu vas me faire repérer ! ordonna-t-elle en bandant de nouveau son arc.

Jeanne obéit. Sa mère était en vie. Là, devant elle. Aussi forte et déterminée qu'autrefois.

Elle demanda seulement :

— Qui voulez-vous abattre ?

— Ce chien de Robert Gui, répondit la comtesse en ajustant sa visée.

Un hurlement désespéré traversa à cet instant le brouhaha de la foule.

— C'est un piège, Flore ! Fuis !

Jeanne devina qu'il venait de Gabriel parvenu devant l'église. Elle tenta de sonder la pénombre du porche comme, en cet instant, le faisait l'inquisiteur devant le chariot.

Elle aperçut deux silhouettes qui disparaissaient derrière le battant refermé.

L'idiot ! Il vient de les faire repérer ! s'agaça-t-elle.

La flèche partit à l'instant où Robert Gui s'agita sur sa selle, en direction des soldats, hurlant de saisir Flore et Armand. Elle se ficha dans le cou du cheval qui aussitôt chancela.

Saisi, l'inquisiteur en suivit la trajectoire.

— Là ! hurla-t-il à nouveau en les désignant du doigt.

— Viens ! ordonna la comtesse à Jeanne tandis que Robert Gui sautait à bas de sa monture agonisante et que les sergents se scindaient en deux groupes. L'un vers l'église, l'autre en direction de la ruelle.

Aurons-nous assez d'avance pour leur échapper ?

Le cœur de Jeanne se mit à bondir dans sa poitrine tandis qu'elle descendait en hâte l'échelle derrière sa mère.

52.

Paris.
Outre-Grand-Pont.

Entraînée par Armand le long de la travée centrale, Flore ne voyait pas ces rangées de bancs qui défilaient, ces têtes relevées, suspicieuses devant leur course.

Son regard restait verrouillé à celui de Gabriel. Son esprit enchaîné à ce cri qui reflétait tout ce qu'il avait enduré et qu'il refusait de la voir supporter.

— L'imbécile ! avait rugi Armand à son oreille, avant de l'arracher à cet homme, qui, à sa manière, dans un ultime sursaut de courage, venait de lui dire à quel point il l'aimait.

Gabriel les avait perdus. Mais elle ne mesurait pas à quel point.

Derrière eux, comme un écho à leurs talons qui claquaient sur les dalles, la porte vrillait sous les assauts des soldats. Armand l'avait barrée à la hâte.

Ces fichus moines ne vont pas tarder à leur ouvrir, comprit-il en voyant l'un d'entre eux se lever, courroucé, et remonter l'allée.

Il accéléra l'allure, forçant Flore à le suivre quand elle ne parvenait toujours pas à s'affoler. Comme si la douleur de Gabriel avait noyé la menace. En une fraction de seconde, tout lui était revenu en mémoire, tout ce qu'elle avait refusé d'imaginer ces jours derniers. Il n'avait pas mérité ça. Pas mérité d'être torturé. Pas mérité de mourir.

À cause de moi.

Et ce sentiment de culpabilité qui la rattrapait fauchait la réalité, le danger imminent et jusqu'à la peur qu'elle aurait dû éprouver.

— Par là, cria Armand en obliquant vers la droite et ce portail qui se rapprochait.

Elle courait à ses côtés. Par habitude. Une part d'elle était toujours dans cette cage, une part d'elle serrait Gabriel dans ses bras et lui demandait pardon.

L'ardeur du soleil de midi la ramena soudain au présent, à la main d'Armand qui broyait la sienne, à ce cimetière envahi par les camelots mais déserté par les chalands depuis l'approche du convoi.

La puanteur du charnier lui coupa le souffle.

Elle s'immobilisa dans le pas d'Armand, pivota, comme lui, en direction de l'entrée du cimetière, rue Saint-Denis. À cet instant seulement la peur recommença à couler dans ses veines. Des soldats venaient de s'y encadrer, arc au poing.

Si nous tentons de traverser cette étendue, nous serons transpercés avant d'avoir atteint la place aux Chapes, comprit Armand en repoussant cette option, pourtant la plus directe pour atteindre la porte Saint-Honoré.

— Là ! indiqua-t-il à Flore qui s'était mise à trembler.

Elle avisa une poterne prise sous l'une des arcades du charnier nord qui formait l'angle de l'église.

Pourvu que d'autres soldats ne déboulent pas par son portail, pria-t-elle en se remettant à courir.

Ils en dépassèrent l'entrée et elle s'affola plus encore. De l'intérieur surgissaient des cris, un bruit de galopade.

Ils atteignirent le battant de bois sous le sifflement des premières flèches. Pour l'en protéger, Armand la précipita devant lui.

Des gens bloquent le passage, comprit-elle à la résistance de la porte, à la clameur qui grondait derrière.

Offrant son dos aux impacts, Armand plaqua ses deux mains de chaque côté d'elle, s'arc-bouta, l'aida à pousser. Assez pour écarter enfin le battant et qu'elle se glisse dans l'entrebâillement.

Elle se retrouva cernée par cette marée humaine qui remontait la rue pour assister à la pendaison de Gabriel, entraînée malgré elle.

— Ici ! Ici ! Je suis ici ! hurla-t-elle en agitant les bras au-dessus de la tête, affolée à l'idée qu'Armand ait été touché, affolée à l'idée de le perdre.

Il lui sembla que la porte se refermait sur lui, mais le flux était tel qu'elle ne sut pas s'il avait pu la voir.

Elle tenta de redescendre en jouant des coudes avant de comprendre qu'elle n'y parviendrait pas.

Calme-toi, se fustigea-t-elle. *Souviens-toi de ce que nous avons convenu : Au clou du roi, porte Saint-Honoré. Oui, c'est ça. Il me suffira de demander ma route, de l'y rejoindre. Tout ira bien. Au milieu de cette foule, nous sommes en sécurité.*

Elle se rassura.

— Combien de temps tu crois qu'il tirera la langue celui-là ? entendit-elle derrière elle.

— Juste assez pour bandouiller, répondit un autre dans un éclat de rire.

L'image de Gabriel suspendu dans le vide la fit chanceler, l'empêchant de les agonir d'injures.

Elle eût voulu rattraper le convoi, s'accrocher aux barreaux, lui dire combien elle regrettait de l'avoir repoussé ce jour-là, de ne pas avoir pu revenir au moulin, l'emmener avec eux. Mais c'eût été se livrer quand il avait tout fait pour la sauver. Elle se sentit seule soudain. Infiniment seule face à son désespoir. Elle le laissa jaillir d'elle, exploser. Des larmes plein les yeux, ballottée, portée par le mouvement, elle en oublia le temps et ce qui l'entourait.

Elle n'en recouvra la notion que lorsque tout s'ouvrit devant elle, comme une demi-couronne mortuaire que, sans le savoir, les badauds s'appliquaient à former.

Son cœur se suspendit dans sa poitrine.

Le chariot était déjà arrêté, Gabriel sur la potence au mitan de la place de Grève derrière laquelle les navires, à quai, semblaient figés. On lui avait lié les mains au dos, on le maintenait les pieds joints sur un tabouret.

— Procédez ! ordonna l'inquisiteur monté sur un nouveau cheval.

Flore porta les mains à ses lèvres, recula pour se mettre à couvert derrière une rangée de badauds.

Chacun retenait son souffle à présent. Seuls le crissement des drisses, le cri des mouettes, le clapotis de l'eau perçaient l'air étouffant.

Près d'elle, un petit garçon se mit à trembler contre sa mère.

— Je vois pas, mam…

Il fut juché sur des épaules frêles.

À cet instant, Flore sut que, comme lui, elle ne détournerait pas les yeux, qu'elle resterait jusqu'au bout, jusqu'à ce que Gabriel ait cessé de respirer.

Elle n'écouta pas les chefs d'accusation, n'entendit pas davantage les paroles du prêtre. Tout n'était qu'injure alors que défilaient dans sa mémoire des rires, des jeux, des regards, des étreintes furtives, des promesses d'un temps où ils n'étaient encore que des enfants, où elle n'était encore que sa promise, où le souffle d'Armand n'avait pas tout ébranlé.

Elle le revit tel que son cœur l'avait gardé dans cette déraison d'elle qui l'avait poussé à surmonter sa faiblesse pour la sauver. Rachetant d'un bloc ce qui l'avait poussé, quelques jours plus tôt, sous les ailes de son moulin, à risquer de la perdre.

— Une dernière volonté ? demanda le bourreau.

— Oui.

Flore se tétanisa plus encore.

La voix de Gabriel s'éleva au-dessus de la foule, muette :

— Je ne suis coupable que d'avoir aimé une femme et d'avoir refusé de la livrer. Je le redis ici. Elle est innocente. Et je le suis aussi. Alors où que tu sois mon amour, retiens ceci : la mort mettra fin à d'injustes souffrances. Je partirai en paix.

Le bourreau lui passa le nœud autour du cou, l'obligeant à relever le menton. Mais il avait déjà regagné sa fierté.

La foule ne fut qu'un cri à l'instant où le tabouret fut chassé. N'éprouva qu'un sursaut d'horreur pour celui, spasmodique, qui parcourut les jambes de Gabriel.

Flore sentit les siennes se dérober sous elle.

Quelques secondes encore et ce serait fini.

Ne pas m'évanouir. Pas maintenant. Je le lui dois, s'obligea-t-elle à résister.

À côté d'elle la femme et l'enfant avaient cédé place à un moine.

— Tout va bien ? lui demanda-t-il.

— Oui, murmura-t-elle tandis qu'il refermait sa main sur son épaule.

Mais c'était un mensonge. Là-bas, sur l'estrade, le corps de Gabriel se balançait. Son visage, bleui, ses yeux exorbités ne reflétaient plus le compagnon rieur qu'il avait été.

Tout à sa détresse, Flore songea à cette mort injuste, révoltante, à l'Angleterre qu'elle devait atteindre pour ne pas connaître le même sort que Gabriel.

À Armand, son seul espoir. Armand qui, une nouvelle fois, s'était jeté face aux soldats pour la protéger.

Elle devait réagir, pour eux, pour que ces hommes qui l'aimaient ne se soient pas mis en danger pour rien.

Elle se ressaisit, fit un pas, prit soudain conscience que ce moine serrait toujours son épaule. Fermement.

Elle leva les yeux vers lui. Il souriait.

— C'est terminé, annonça-t-il calmement.

Elle crut qu'il parlait de Gabriel. Elle sentit à nouveau le désespoir envahir ses veines. Puis tout aussitôt la lame d'un poignard lui piquer la taille.

Elle se tétanisa.

— Cette fois, Flore, vous ne pouvez plus nous échapper, lâcha-t-il d'un air mauvais.

Chers Amis lecteurs,

Puisque l'immense chance m'a été donnée de découvrir cette incroyable aventure dont le second volume ne saurait tarder, voici un petit rappel de ses personnages, ainsi qu'un tableau chronologique des grands événements historiques qui en furent la clef.

J'espère que votre curiosité en sera aiguisée au point de vous donner envie, comme moi, d'aller plus loin et de découvrir quelle fut l'origine du miracle de sainte Colombe.

Quoi qu'il en soit, je vous embrasse.

Mireille.

Les personnages

Les défunts, mais néanmoins importants dans l'Histoire

Jacques de Molay. Né entre 1244 et 1249. Il fut le dernier grand maître de l'ordre des Templiers. Arrêté comme les autres chevaliers le 13 octobre 1307, il fut reconnu coupable d'hérésie et mené au bûcher le 18 mars 1314 avec Geoffroy de Charnay, commandeur pour le bailli de Normandie.

Philippe le Bel. Dit « le roi de fer ». Il ordonna la chute de l'ordre du Temple et l'obtint grâce au soutien du pape Clément V et à l'appui du grand inquisiteur du royaume de France, Guillaume Humbert, dit de Paris. Tous trois moururent à quelques mois d'intervalle en 1314, morts successives qui accréditèrent la thèse d'une malédiction lancée par Jacques de Molay. Malédiction qui prit d'autant plus corps lorsque Louis le Hutin et Philippe V le Long, tous deux fils de Philippe le Bel, moururent à leur tour après quelques années seulement de règne.

Les personnages principaux

Flore Dupin. Née en 1307, notre jeune héroïne est la fille des métayers de la comtesse de Rethel, nous racontent ces pages. Alors restons-en là pour l'instant. Rappelez-vous simplement qu'elle possède une tache de naissance sur le ventre. Le premier des gardiens de sainte Colombe, qui en fut marqué, lui donna pour nom le Baphômet. En voici la représentation :

Gabriel le meunier. Né en 1298, il a grandi avec Flore, leurs parents étant amis. Il est amoureux d'elle. Tous deux sont fiancés depuis de nombreuses années.

Armand d'Arcourt. Écuyer de Jacques de Molay, ancien Templier, il est devenu rémouleur après la dissolution de l'Ordre. Il a été chargé par le dernier grand maître de veiller sur Flore dont il a fini par tomber amoureux.

Charles IV. Troisième fils de Philippe le Bel à monter sur le trône au début de l'année 1322. Il succède à son frère, Philippe V dit le Long.

Jeanne de Dampierre. Béguine depuis que Charles IV a jeté son dévolu sur elle en 1314. Elle est la fille de Louis de Dampierre et de la comtesse de Rethel.

La comtesse de Rethel. Gardienne de sainte Colombe, elle en porte la marque sur la hanche. Ce fut la tendre amie de Jacques de Molay.

Louis de Dampierre. Époux de la comtesse de Rethel, père de Jeanne. Il est aussi comte de Nevers et fils du comte de Flandre.

Guillaume de La Broce. Légiste sous Philippe le Bel, il l'est resté sous le règne de ses fils. Il est le demi-frère d'Armand, par leur père. Son oncle Adémard ainsi que son cousin Bernard étaient des Templiers. Ce dernier fut brûlé vif après avoir été soumis à la question par Guillaume Humbert de Paris.

Robert Gui. Il a été abandonné à la naissance et élevé par les dominicains de l'église Saint-Denis-de-la-Chartre à Paris. Il fut le disciple de Guillaume Humbert, avant de lui succéder en 1314.

Les personnages secondaires

Bertrade. Muette, elle est au service de Jeanne depuis l'enfance de celle-ci.

Adémard de La Broce. Oncle de Guillaume de La Broce et d'Armand d'Arcourt, proche de Jacques de Molay. En 1307, à la demande du grand maître, il dissimula un immense trésor composé de pièces d'or romaines, de cartulaires et d'un anneau sigillaire représentant le Baphômet.

Frère Anselme. Moine défroqué au service de Robert Gui.

Tableau chronologique des événements historiques

Vous le remarquerez, les premières lignes du tableau qui suit sont vierges. Ce n'est pas une erreur. Vous en révéler le contenu maintenant vous priverait de l'énigme concernant l'origine du miracle de sainte Colombe. Vous la découvrirez bientôt dans le second tome.

En attendant, puisse l'Histoire, la vraie, vous surprendre, vous troubler et laisser votre imagination s'emballer...

DATE	ÉVÉNEMENTS HISTORIQUES

Vers 274	Colombe est décapitée par le fils de l'empereur Aurélien près de la fontaine d'Azon, à Sens. Le sang de Colombe devient couleur d'ambre. Aubertus, le général de la région qui découvre son corps, lui érige un tombeau à côté de son palais.
498	Le descendant d'Aubertus remet la sainte ampoule remplie du sang ambré de Colombe à l'archevêque Remi de Reims. Clovis en reçoit l'onction au moment de son baptême, devenant ainsi le premier roi chrétien de France et marquant pour des siècles le lien entre la couronne et Dieu. Pour remercier le descendant d'Aubertus, Remi lui octroie les terres de Rethel. Aubertus et ses descendants deviennent avoués de la basilique de Reims, chargés de veiller sur la sainte ampoule.
620	Fondation de l'abbaye Sainte-Colombe à Sens.
850	Le corps de Colombe est arraché à son tombeau d'Azon et est transporté à l'abbaye Sainte-Colombe.
886	Les moines de l'abbaye Sainte-Colombe entourent la cité de remparts et font construire un souterrain qui ressort poterne Saint-Didier. Ils l'utilisent pour déplacer Colombe lors de l'invasion normande.
990	L'avoué de la basilique Saint-Remi de Reims, Manassès Ier, est fait comte de Rethel. La lignée des gardiens de sainte Colombe et de la sainte ampoule devient noble.
1010	Robert II le Pieux, fils de Hugues Capet, se rend à l'abbaye Sainte-Colombe. Il voit un astre éblouissant qui, s'élevant du lieu où il avait surgi, se mit à se mouvoir avec rapidité dans le ciel. La lumière se maintint quelque temps où elle était parvenue, puis reprit vivement sa course en arrière avant de disparaître d'un coup.
1118	Création de l'ordre du Temple par Bernard de Clairvaux et Baudouin II de Jérusalem, le frère du comte de Rethel.

1119	L'Ordre, qui s'installe dans le Temple de Salomon à Jérusalem, compte neuf chevaliers commandés par un grand maître, Hugues de Payens.
1139	Thibaud de Payens, le fils de Hugues, devient abbé de Sainte-Colombe. Il fait construire une nouvelle abbatiale. Le sarcophage de Colombe est déplacé dans une crypte fermée. Il est remplacé dans la basilique par un gisant afin que les pèlerins puissent s'y recueillir.
1164	Le pape Alexandre III séjourne à l'abbaye Sainte-Colombe pour étudier la singularité de la martyre. Il y restera vingt-cinq mois.
1166 1170	Thomas Becket, chassé d'Angleterre par Henri Plantagenêt, se réfugie à l'abbaye Sainte-Colombe. Il y croise Alexandre III.
1234	Saint Louis se marie à Sens. Il se recueille dans la crypte, sur le cercueil de sainte Colombe.
1264	Saint Louis crée l'ordre des béguines et achète un terrain dans la rue des Prêtres-Saint-Paul sur lequel il fait bâtir le clos du grand béguinage royal. Quatre cents femmes, ni veuves ni nonnes, s'y installent.
1283	Naissance de Robert Gui. Les dominicains de l'église Saint-Denis-de-la-Chartre, à Paris, le recueillent.
1295	Naissance de Jeanne de Dampierre, fille de Louis de Nevers et de la comtesse de Rethel.
1306	Jacques de Molay refuse de céder sa place de grand maître de l'ordre du Temple à Philippe le Bel.
1307	Naissance de Flore Dupin.
1307	Tous les chevaliers du Temple sont arrêtés. Guillaume Humbert de Paris instruit leur procès pour hérésie. Les chevaliers soumis à la question affirment vénérer une tête d'animal cornu. Pour la première fois, le peuple apprend l'existence du Baphômet.

1310	La béguine Marguerite Porete est arrêtée, accusée d'hérésie et brûlée en place de Grève avec son livre : *Le Miroir des âmes simples anéanties.*
1314	L'ordre du Temple est dissous. Jacques de Molay monte sur le bûcher. Quelques mois plus tard, le pape Clément V, l'inquisiteur Guillaume Humbert et le roi Philippe le Bel meurent. Jeanne de Dampierre entre en béguinage.
1316	Louis X le Hutin, le premier fils de Philippe le Bel, meurt.
1318	Frère Nicolas de Stratton, envoyé par Édouard Ier d'Angleterre, tente de faire accréditer auprès du pape que Thomas Becket aurait possédé une ampoule emplie d'un baume ambré. Ampoule qui lui aurait été remise par une sainte vierge à l'issue de son séjour à l'abbaye Sainte-Colombe de Sens. Becket a été assassiné avant de pouvoir la remettre aux Plantagenêts.
1319	Édouard Ier d'Angleterre demande au pape le droit de se servir du baume de la sainte ampoule de Becket pour obtenir l'immunité dans sa guerre contre l'Écosse.
1322	Philippe le Long, le second fils de Philippe le Bel, meurt. Charles IV lui succède sur le trône.
1357	La ville de Rethel est fortifiée. *Jusque-là, seul le donjon l'était mais je n'ai pas voulu vous priver de la gravure que j'avais découverte. Et j'ai décidé de planter le joli décor qu'elle vous offrait (pages 20-21. Vous pouvez aussi la trouver sur Internet, l'agrandir, comme la carte de Paris).*

Sources

Atlas de Paris au Moyen Âge : espace urbain, habitat, société, religion, lieux de pouvoir, Philippe Lorentz et Dany Sandron, Parigramme, 2006.

Description de Paris, de Versailles, de Marly, de Meudon, de Saint-Cloud, de Fontainebleau et de toutes les autres belles maisons et châteaux des environs de Paris, par M. Piganiol de La Force, Nouvelle édition, À Paris, Chez Théodore Legras, 1742.

Dictionnaire historique de la ville de Paris et de ses environs, dans lequel on trouve la description des monuments et curiosités de cette capitale…, Pierre Thomas Hurtaut et L. de Magny, À Paris, Chez Moutard, 1779.

Dictionnaire historique et critique, Pierre Bayle, vol. XV, Amsterdam, 1734.

Histoire des Français, Jean Charles Léonard Simonde de Sismondi, vol. V.

L'Art et la société. Moyen Âge-xxe siècle, Georges Duby, Gallimard, 2002.

L'Imaginaire médiéval. Essais, Jacques Le Goff, Gallimard, 1994.

La France sous les derniers Capétiens, 1223-1328, Marc Bloch, Armand Colin, 1958.

« La pharmacopée au Moyen Âge. II. Les Médicaments », par Georges Dillemann, in *Revue d'histoire de la pharmacie*, n° 200, 1969.

Le Mesnagier de Paris, [vers 1313], texte édité par Georgina E. Brereton et Janet M. Ferrier, Librairie générale française, 1994.

Le Plaisir au Moyen Âge, Jean Verdon, Perrin, 2010.

Le Temps des Capétiens (xe-xive siècle), Claude Gauvard, Puf, 2013.

« Les finances de Charles IV le Bel », in *Journaux du trésor de Charles IV le Bel*, par J. Viard, Collection des documents inédits de l'histoire de France, Imprimerie nationale, 1914.

Les Métiers et corporations de la ville de Paris. xiiie siècle. Le livre des métiers d'Étienne Boileau, publié par René de Lespinasse et François Bonnardot, Imprimerie nationale, 1879.

Les Monarchies, Yves-Marie Bercé et Guy Antonetti, Puf, 1997.

Maison de Rethel et liste des comtes de Rethel, Wikipédia.

Mort d'une hérésie. L'Église et les clercs face aux béguines et aux béghards du Rhin supérieur du xive au xve siècle, Jean-Claude Schmitt, Éditions Mouton-École des hautes études en sciences sociales, 1978.

Paris sous Philippe le Bel, d'après des documents originaux…, par H. Géraud, Paris, imprimerie de Crapelet, 1837.

Procès et condamnation des Templiers, d'après les pièces originales et les manuscrits du tems, par M. Raynouard [François Just Marie] et Noël Laurent Pissot, Paris, Chez Gervais et Maison, 1805.

Recherches historiques et anecdotiques sur la Ville de Sens, sur son antiquité et ses monuments, par M. Théodore Tarbé, 1838.

Sainte Colombe et l'empereur Aurélien, histoire-sens-senonais-yonne.com

Sainte Colombe, agendicum.over-blog.com

The Beguines of Medieval Paris. Gender, Patronage, and Spiritual Authority, Tanya Stabler Miller, University of Pennsylvania Press, 2017.

Un autre Moyen Âge, Jacques Le Goff, Gallimard, « Quarto », 1999.

Vivre en ville au Moyen Âge, Jean-Pierre Leguay, J.-P. Gisserot, 2012.

Pour suivre l'actualité de Mireille Calmel
et en savoir plus sur ses ouvrages :

mireillecalmel.com

facebook.com/mireillecalmelofficiel

Du même auteur chez le même éditeur

Le Lit d'Aliénor, 2002

Le Bal des louves, 2003
    * *La Chambre maudite*
    ** *La Vengeance d'Isabeau*

Lady Pirate, 2005
    * *Les Valets du roi*
    ** *La Parade des ombres*

La Rivière des âmes, 2007

Le Chant des sorcières, tomes I à III, 2008-2009

La Reine de lumière, 2009-2010
    * *Elora*
    ** *Terra incognita*

Aliénor, 2011-2012
    * *Le Règne des Lions*
    ** *L'Alliance brisée*

Richard Coeur de Lion, 2013-2014
    * *L'Ombre de Saladin*
    ** *Les Chevaliers du Graal*

La Marquise de Sade, 2014

Aliénor, un dernier baiser avant le silence, 2015

Les Lionnes de Venise, tomes 1 et 2, 2017

Du même auteur

Les Tréteaux de l'enfance, 2004, Elytis.

Mise en pages : Sylvie Denis

Achevé d'imprimer
sur Roto-Page
par l'Imprimerie Floch
à Mayenne
en mai 2018

N° d'édition : 3702/01 – N° d'impression : 92683
Dépôt légal : mai 2018

Imprimé en France